La dernière saison

TOME 3

Les enfants de Jeanne

D1430257

Louise Tremblay-D'Essiambre

La dernière saison

TOME 3

Les enfants de Jeanne

Guy Saint-Jean
ÉDITEUR

Catalogage avant publication de Bibliothèque et Archives nationales du Québec et Bibliothèque et Archives Canada

Tremblay-D'Essiambre, Louise, 1953-
La dernière saison
Sommaire: t. 3. Les enfants de Jeanne.
ISBN 978-2-89455-600-9 (v. 3)
I. Titre. II. Titre: Les enfants de Jeanne.
PS8589.R476D47 2006   C843'.54   C2006-941568-4
PS9589.R476D47 2006

Nous reconnaissons l'aide financière du gouvernement du Canada par l'entremise du Fonds du livre du Canada (FLC) ainsi que celle de la SODEC pour nos activités d'édition. Nous remercions le Conseil des Arts du Canada de l'aide accordée à notre programme de publication.

Gouvernement du Québec — Programme de crédit d'impôt pour l'édition de livres — Gestion SODEC

© Guy Saint-Jean Éditeur inc. 2012
Conception graphique: Christiane Séguin
Révision: Lysanne Audy
Page couverture: Toile de Louise Tremblay-D'Essiambre, « Le petit chalet couleur de pêche », inspirée de « La maison jaune » de Gisèle Rivard.

Dépôt légal — Bibliothèque et Archives nationales du Québec, Bibliothèque et Archives Canada, 2012
ISBN: 978-2-89455-600-9
ISBN ePub: 978-2-89455-601-6
ISBN PDF: 978-2-89455-602-3

Distribution et diffusion
Amérique: Prologue
France: Dilisco S.A./Distribution du Nouveau Monde (pour la littérature)

Guy Saint-Jean Éditeur inc.
3440, boul. Industriel, Laval (Québec) Canada. H7L 4R9 • Tél.: 450 663-1777
Courriel: info@saint-jeanediteur.com • Web: www.saint-jeanediteur.com

Imprimé et relié au Canada

À un vieux monsieur merveilleux,
celui que j'ai le privilège d'appeler papa,
avec toute la tendresse du monde...
Je t'aime

Note de l'auteur

Je viens de relire *Jeanne* et *Thomas*, le cœur battant la chamade, surprise de tous ces mots si différents de ceux employés dans *Les mémoires d'un quartier*.

Est-ce bien moi qui ai écrit *La dernière saison* ?

J'avoue que j'ai de la difficulté à m'y retrouver, à me reconnaître dans cette écriture un peu plus élaborée, après toutes ces années à côtoyer les Lacaille.

Pourtant, c'est bien mon nom qui est inscrit en page couverture et les images proposées me reviennent avec une agréable facilité. Elles me sont familières, douillettes, même si elles sont enveloppées d'une émotion complexe et subtile, une émotion si présente à chaque page qu'elle en est presque palpable.

Et c'est devant cette réalité que mon cœur s'emballe.

Saurai-je me réapproprier cette émotion à fleur de peau pour la rendre avec la délicatesse requise ? Saurai-je retrouver les paroles et le ton de ces mêmes paroles pour rendre justice à cette belle histoire d'amour ?

Le croiriez-vous ? J'ai un trac fou. Brusquement, je m'ennuie d'Évangéline et de sa bonhomie, de Bernadette et de son gros bon sens, de Marcel et de son franc-parler. Je m'ennuie même de ce cher Adrien, qui promène ses hésitations à n'en plus finir, entre Montréal et le Texas…

C'est pourquoi ce matin je suis là, assise devant mon ordinateur, ne sachant trop par quel bout commencer.

Je le répète, moi qui vous l'ai si souvent dit en

conférence : « Mon Dieu qu'il est difficile d'écrire ! Qu'il est parfois vertigineux et complexe de démêler les ficelles d'une histoire même si elle nous est familière, même si elle vient de nous en grande partie et que normalement on devrait s'y remettre avec facilité. » Je sais bien que je n'ai qu'à m'abandonner avec suffisamment d'humilité pour que les personnages puissent me guider. C'est ce qui se passe habituellement quand j'écris. Vous le savez, je vous en ai quelquefois parlé.

Apprendre à faire confiance aux personnages, c'est ma façon de faire, c'est ce que j'appelle bêtement l'inspiration...

M'en remettre aux personnages...

Après tout, ils savent ce qu'il faut dire et comment le dire, puisqu'on raconte leur vie ! Et je vous le jure : d'ordinaire, la magie opère. Pourtant, cette fois-ci, j'ai peur de ne pas y arriver.

Je vous ai souvent dit, également, que Jeanne me ressemblait, n'est-ce pas ? C'est toujours aussi vrai. Je l'ai ressenti tout au long de ma lecture. Je ne me rappelais pas, cependant, à quel point cette femme, qui a sensiblement mon âge, pouvait s'apparenter à moi, se fondre à moi.

Tant dans son attitude, ses réflexions et ses émotions que dans ses valeurs, Jeanne, c'est moi.

Relire son histoire a donc été un moment troublant. Grandement troublant. C'était comme avoir rendez-vous avec moi-même.

Alors, pourquoi avoir peur, me direz-vous ? De toute

évidence, je devrais arriver à la rejoindre puisqu'on se ressemble tant, elle et moi. Une fois assise l'une en face de l'autre, on saura bien communiquer, n'est-ce pas ? Il serait logique que je comprenne, sans trop de difficulté, tout ce que Jeanne va tenter de me révéler, non ?

J'écris ces mots, je vous livre mes inquiétudes, et j'ai vraiment l'impression de vous entendre, chers lecteurs. J'ai l'impression que vous êtes en train d'ajouter que vous ne comprenez pas tout à fait ce que j'essaie d'expliquer. Au-delà de mes confidences sur le vertige habituel quand vient le temps de l'écriture, pourquoi aurais-je l'intention de vous parler de Jeanne, puisqu'elle est morte ?

C'est vrai, vous avez tout à fait raison : Jeanne est décédée. Tragiquement, brutalement, banalement. Quand j'ai relu ce passage, tout comme au moment où je l'avais écrit, d'ailleurs, j'ai chaudement pleuré, parce que, à l'image de ce matin où j'avais couché ces quelques lignes sur le papier, j'ai eu la déchirante sensation qu'une parcelle de mon âme s'envolait avec celle de Jeanne, entraînée par la voix bouleversante de Maria Callas.

Voilà...

Jeanne est morte, emportant avec elle un petit morceau de moi et une grande partie de la vie de son mari Thomas. Malgré cela, c'est quand même de Jeanne dont je vais vous entretenir dans ce troisième tome.

Parce que raconter l'histoire des enfants de Jeanne, c'est aussi, par ricochet, parler de cette femme entière et complexe.

Je m'apprête donc à faire ce que je reproche à d'autres parfois. Je vais écrire une suite à un roman paru il y a quelques années déjà. Mais c'est bien de votre faute si j'en suis là ce matin! Vous avez été des centaines à me demander une suite à l'histoire de Jeanne.

La voici!

Pour vous remettre dans le contexte des deux romans qui, à l'origine, constituaient *La dernière saison*, je vais vous en faire ici un bref résumé. Ces deux livres n'étaient pas banals en soi, l'histoire racontée dans ces deux livres n'était pas banale. La plupart d'entre vous doivent donc s'en souvenir un peu. Je vais quand même vous préciser que dans le premier tome, Jeanne apprend, peu de temps après avoir pris sa retraite, qu'elle a un cancer. Elle décide rapidement qu'elle va se battre jusqu'au bout, ce qui inclut qu'elle veut avoir le choix de mourir quand et comme elle le décidera, au besoin. Elle ira même en Europe pour se renseigner sur les lois qui régissent les choses là-bas. Jeanne, même si elle aime la vie, a peur de la souffrance et ne veut surtout pas être un fardeau pour les siens.

C'est donc en toute connaissance de cause, et en toute sérénité, que Jeanne va finalement soustraire quelques mois à son existence. Ou quelques semaines, allez donc savoir! Comme elle le dit si bien au dernier matin de sa vie: on peut apprendre à mourir comme on a jadis appris à vivre, et c'est exactement ce qu'elle a fait. C'était là son dernier défi et elle l'a relevé avec brio.

Dans le deuxième tome, nous retrouvons Thomas, le

mari de Jeanne, qui doit vivre son deuil avec cette part d'ombre appelée culpabilité. Elle lui ronge le cœur parce que, étant médecin, c'est lui qui a aidé Jeanne à mourir.

Sa Jeanne tant aimée !

C'est dans le journal intime que sa femme lui a laissé, là où elle a soigneusement consigné l'essentiel de leur vie à deux, que Thomas puisera en fin de compte la force de s'en sortir. Emmêlée aux mots de Jeanne, c'est la quintessence de leur vie commune qui lui sera redonnée. Cela lui fera un bien immense de pouvoir encore s'y replonger.

D'une page à l'autre, d'une réflexion à une autre, Thomas apprendra aussi à mieux connaître ses enfants. Les mots de Jeanne le guideront vers eux, et petit à petit, par la force des choses, maintenant que Jeanne n'est plus là pour faire le lien entre lui et les enfants, il s'approchera d'eux jusqu'à trouver dans leur présence un certain réconfort.

Olivier, l'aîné, et les jumeaux, Mélanie et Sébastien…

Trois jeunes adultes qui vivent leur deuil, chacun à sa façon, et qui tentent de poursuivre leur vie sans la présence de cette mère qu'ils ont sincèrement aimée même si elle prenait beaucoup de place.

Il y a aussi Simone, la compagne, l'amie, l'amante, venue se glisser dans la vie de Thomas comme par inadvertance…

Quand j'ai eu fini l'écriture du deuxième tome de *La dernière saison*, je m'étais permis de faire un petit saut dans le temps et j'avais tenté d'imaginer à quoi ressemblerait la vie de tous ces personnages, un an plus tard. Je vous invite donc à relire ces quelques pages si vous les avez à portée de main, soit l'épilogue du livre intitulé *Thomas*, parce que c'est à partir de là que je vais reprendre le fil de cette histoire. Si vous n'avez pas le livre, ce n'est pas grave. Je vais tenter de vous mettre en situation dans les premières pages de cette suite à *La dernière saison*.

Nous sommes donc au printemps 2008, et c'est sur la pointe des pieds, le cœur battant à tout rompre, que j'ose enfin retourner dans l'univers intime de Jeanne et dans celui, plus quotidien, de Thomas. Sans oublier leurs trois enfants, bien entendu !

Je vois la serre qui donne sur la cuisine, et au fond du jardin, que j'aperçois par la porte-fenêtre, tout contre la haie de cèdres, les rosiers que Jeanne a jadis plantés se préparent à fleurir.

Chapitre 1

« Simone n'est pas mon premier amour. Elle n'est pas non plus mon grand amour, c'est ta mère Jeanne qui l'a été. Ça, ça ne changera jamais. J'espère cependant que Simone sera mon dernier amour. »

Paroles de Thomas à sa fille Mélanie au printemps 2007.

La maison s'apprêtait à bourdonner d'activité. Tel que promis, Olivier et ses deux garçons, Julien et Alexis, venaient d'arriver pour donner un coup de main à leur tante Mélanie qui mettait la dernière touche à la préparation de sa petite garderie. Au programme aujourd'hui : peinture et décoration des deux pièces qui serviraient à recevoir les enfants. Dans plusieurs gros cartons déposés dans un coin de la plus grande salle, les jouets, les petits meubles et les rangements attendaient d'être déballés.

Monsieur Bolduc, l'entrepreneur qui avait construit la serre de Jeanne il y a de cela quelques années déjà, avait allègrement repris du service chez les Vaillancourt, ayant gardé un excellent souvenir de sa première intervention chez eux. Encore une fois, il avait fait des merveilles, et le garage avait complètement changé de mine. D'un débarras encombré, malodorant à cause de la tondeuse à gazon entreposée là et des vieux gallons de peinture et autres bouteilles d'huile à moteur qu'on y oubliait régulièrement, il avait fait naître une petite garderie lumineuse et fonctionnelle.

— Ça, ma p'tite madame, c'est de la belle ouvrage! Mes hommes ont ben travaillé.

L'homme grisonnant avait regardé tout autour de lui avec satisfaction. Mélanie, ravie, en avait fait tout autant, scrutant minutieusement murs, plafonds et planchers. Effectivement, c'était « de la belle ouvrage »!

— Merci, monsieur Bolduc. Un gros, gros merci!

La jeune femme avait même dû se retenir, car il s'en était fallu de peu pour qu'elle se mette à battre des mains comme une enfant, tellement elle était heureuse. Après une profonde inspiration, elle s'était contentée d'un large sourire pour exprimer son contentement.

— Du fond du cœur, merci, avait-elle alors répété.

— Pas de quoi, avait bougonné l'entrepreneur, visiblement heureux de la réaction de la jeune femme.

Puis, après une brève hésitation:

— C'est juste ben de valeur que votre mère soit pas là pour voir ça. C'était une femme ben gentille. Ouais, ben avenante! Son café et son gâteau des anges étaient dépareillés.

Sa façon à lui d'offrir ses sympathies. Malheureusement, à ces mots, un silence embarrassé s'était glissé entre Mélanie et l'entrepreneur. Malgré le passage du temps, certaines allusions étaient encore douloureuses à entendre.

— Là-dessus, je vous laisse, s'était alors empressé d'ajouter monsieur Bolduc, conscient du malaise qu'il venait de susciter. Ma dernière facture est sur le comptoir de cuisine.

Puis, l'entrepreneur avait jeté un dernier regard critique autour de lui.

— Un peu de couleur sur tout ça, avait-il affirmé en guise de conclusion, arborant un air confiant et fier de lui, pis c'est sûr que les enfants du voisinage vont être heureux de passer leurs journées ici !

C'est tout ce que Mélanie souhaitait : quelques enfants heureux venant se joindre à sa grande Marie-Jeanne, trois ans, et à son petit frère Jérémie, qui venait tout juste de célébrer son premier anniversaire. Dès lundi, la jeune maman ferait donc paraître une annonce dans les journaux locaux pour offrir ses services comme gardienne, spécifiant qu'à compter du premier juin, *La cabane enchantée* ouvrirait ses portes pour accueillir « les amis », comme le disait si bien Marie-Jeanne qui continuait de ressembler à sa grand-maman décédée de façon saisissante.

C'est ainsi qu'une corvée pour la peinture avait été décrétée par Thomas et approuvée par tous. En ce samedi de printemps, alors que le soleil brillait de mille feux et que la douceur de l'air invitait plutôt à se prélasser à l'extérieur, Mélanie attendait sa famille pour l'ultime effort.

— Tant pis ! On a tout l'été pour se reprendre, déclara Olivier en mettant un pied dans l'ancien garage, en guise de réponse à Mélanie qui s'excusait de monopoliser tout le monde par un si beau samedi.

Puis, mettant une main en porte-voix, il lança en direction de la cuisine, là où ses deux fils avaient fait un arrêt obligatoire pour embrasser leur grand-père Thomas et leur *presque-grand-maman* Simone, comme l'avait officiellement baptisée Julien :

— Les garçons ! Venez voir... On ne dirait jamais que c'était un garage avant aujourd'hui ! Venez surtout travailler parce qu'on n'a pas toute la journée ! Je dois être à la clinique pour une heure !

En entendant ces derniers mots, Mélanie ferma les yeux durant une fraction de seconde sans émettre le moindre commentaire.

Olivier serait toujours Olivier ! Médecin, d'abord, homme et père ensuite. À un point tel que ça avait entraîné un divorce entre son épouse Karine et lui.

— Alors ? s'impatienta Olivier tandis que Julien et Alexis arrivaient en courant. Par où commence-t-on ? Et qu'est-ce que tu veux qu'on fasse, exactement ? Comme je viens de le dire, je n'ai pas toute...

— ... la journée, je le sais, coupa un peu sèchement Mélanie qui, sans l'avouer ouvertement, était quand même légèrement déçue de l'attitude de son frère. Je ne suis pas sourde, j'ai très bien entendu !

— Alors ? Par où commence-t-on ?

Mélanie prit une profonde inspiration pour balayer son impatience avant de se tourner dans un premier temps vers ses jeunes neveux.

— Vous deux, fit-elle en pointant le fond de la salle, c'est là-bas que j'ai besoin de vos services. Dans la petite pièce qui donne sur la cour. Venez avec moi, les garçons, vous allez déballer les jouets ! Ça sera votre corvée !

Les yeux des deux gamins se mirent à briller d'expectative devant la « corvée » qui leur avait été allouée. Un regard entre eux, et ils filèrent vers le fond de la pièce tandis que Mélanie s'adressait à son frère avant de les rejoindre.

— Et toi, j'espère que tu as apporté du linge de rechange, précisa-t-elle tout en jetant un regard narquois vers le chandail de fin lainage et les pantalons de lin beige qu'Olivier avait eu la drôle d'idée d'enfiler, parce que, vois-tu, j'avais l'intention de te confier un pinceau et un rouleau !

— Crains pas, j'ai tout ce qu'il faut. Donne-moi deux minutes et je suis ton homme !

En deux temps trois mouvements, Olivier était changé et il attaquait la peinture de la salle principale de la garderie avec une visible bonne humeur. S'il n'était pas souvent libre, sa minutie et sa grande capacité de travail compensaient largement son manque de disponibilité. Mélanie ne put faire autrement que de l'admettre intérieurement en voyant Olivier manier le pinceau avec une dextérité et une célérité peu communes. À croire qu'il était peintre en bâtiments depuis toujours ! À son tour, elle s'arma donc d'un pinceau et elle joignit ses efforts à ceux de son frère.

Dans l'heure qui suivit, avec son jumeau Sébastien qui arriva de Québec, accompagné de son nouvel ami Marc-Antoine, avec Thomas que Simone avait chassé de la cuisine en riant parce qu'il lui faisait l'effet d'un chien fou dans un jeu de quilles, selon ses propres mots, et avec Madeleine et Roger, les gentils voisins, venus offrir leurs services, Mélanie oublia son ressentiment envers Olivier. À midi, quand son frère déclara qu'il devait se préparer à partir, elle fut même soulagée. En fin de compte, les garçons étaient plutôt encombrants maintenant que les jouets étaient déballés et rangés dans deux gros coffres ventrus.

— On compte sur vous pour le souper, par exemple !

— Ça, c'est certain. Je l'ai promis aux garçons. Je passe trois heures à la clinique sans rendez-vous et je reviens. Je devrais être de retour vers quatre heures et demie.

— Parfait ! C'est en plein l'heure où Maxime doit arriver avec mes deux petits mousses.

Et ce fut, effectivement, à ce moment que tout le monde se retrouva dans la serre pour prendre l'apéritif. Contre toute attente, la garderie était enfin prête à accueillir ses petits usagers. Quelques jours de plus pour faire aérer les lieux, et Mélanie, en compagnie de Maxime, son conjoint, et de leurs deux enfants, Marie-Jeanne et Jérémie, emménagerait définitivement dans la demeure de ses parents, cadeau princier s'il en est un, que son père lui avait fait en mars dernier quand il avait vu sa fille déprimer à la simple perspective de reprendre son travail puisque son congé de maternité tirait à sa fin.

Quant à Thomas, dès lundi matin, il déménagerait ses pénates sous le toit de Simone, qui vivait à Laval auprès de son père Gustave, un vieil homme charmant, atteint de cécité partielle. Leur maison était prête à l'accueillir avec les quelques meubles qu'il tenait à garder.

Le repas fut à la hauteur des attentes de tout le monde. Simone et son père Gustave savaient y faire quand venait le temps de préparer un buffet. Le brouhaha des voix devint musique de fond, et le *pop!* des bouchons de champagne ponctua le tout de quelques notes joyeuses qui suscitèrent des rires gourmands. Les enfants couraient partout, les adultes passaient de la maison à la serre, de la cuisine à la terrasse, car l'air était toujours aussi doux sous les rayons d'un soleil qui s'étirait sur l'horizon, refusant de se coucher. À croire que l'été avait choisi ce samedi en toute connaissance de cause pour faire son apparition officielle.

Puis, un peu plus tard, ce fut une explosion d'exclamations quand les quelques amis que Thomas avait invités à se joindre à eux firent leur entrée. Marc, Josée et Gilles s'extasièrent devant la transformation du garage.

— Jeanne serait agréablement surprise. Elle qui passait son temps à dire que le garage était totalement inutile.

Venant de Josée, l'amie intime de Jeanne, ces quelques mots étaient dits sans malice. Une simple constatation, chaleureux rappel d'un temps désormais révolu mais dont on pouvait se souvenir avec affection.

Vers vingt heures, Olivier s'excusa : les garçons tombaient de fatigue. Puis ce fut au tour de Mélanie d'annoncer son départ.

— Il me reste encore pas mal de boîtes à faire si je veux déménager dans une semaine. Encore une fois, merci pour tout, papa.

Une longue accolade unit le père et la fille avant que la petite Marie-Jeanne se glisse entre eux.

— On s'en va, maman ? Je veux faire dodo !

En moins d'une petite demi-heure, la maison de Thomas se vida.

— On t'attend demain pour jouer à la chaise musicale avec quelques meubles, souligna Simone à son compagnon sur un ton amoureux.

Sur ces mots, elle glissa sa main sous le bras de son père afin de le guider. Puis ce furent les voisins qui annoncèrent leur départ.

— Passez nous voir avant de partir, proposa Madeleine tout en emboîtant le pas à Simone et son père. Roger et moi avons un petit quelque chose pour vous, Thomas.

— Et moi, je retourne à Québec dès ce soir, souligna Sébastien tandis que son ami Marc-Antoine l'attendait déjà dans l'auto. Grand-père est fatigué depuis quelques jours. Même si la dame de compagnie est avec lui, je sais qu'il préfère que je sois là. Je t'appelle cette semaine.

— Et nous, on va suivre.

Josée et Marc se présentaient eux aussi à la porte.

— Les enfants viennent souper à la maison demain. C'est un rituel incontournable : ouverture annuelle de la piscine ! J'ai une journée de fou qui m'attend. On se reprend bientôt, Thomas. Promis !

Ce dernier n'osa souligner qu'il n'y aurait pas de

prochaine fois. À tout le moins, pas sous le toit de cette maison qui avait été celle de leur longue amitié à quatre, puis à trois, quand Jeanne était décédée. En refermant la porte sur ses amis, Thomas eut l'impression de mettre un terme à quelque chose d'essentiel pour lui, et une bouffée de nostalgie, un peu douloureuse, lui fit débattre le cœur.

Gilles l'attendait au salon, un ballon de cognac à la main.

— Va voir dans l'armoire en coin près du lavabo. J'y ai caché une bonne bouteille, proposa celui-ci quand il vit apparaître Thomas dans l'embrasure de la porte. Sers-toi, ajouta-t-il tout en levant son verre.

Thomas ne se fit pas prier. Un peu d'alcool fort devrait, en effet, aider à réchauffer ce frisson désagréable qui lui courait à fleur de peau depuis quelques instants.

Quand il revint au salon, Gilles s'activait à préparer une flambée bien que la soirée fut plutôt douce. Peut-être ressentait-il, lui aussi, cette fraîcheur aux creux des émotions, cette douleur à hauteur de cœur? Peut-être avait-il compris que c'était la dernière fois qu'il venait ici?

Thomas n'osa le demander. Il déposa la bouteille de cognac sur la table à café et s'installa dans son fauteuil habituel, celui que tous les amis évitaient, sachant qu'ils se feraient déloger *manu militari*!

— J'avais froid, déclara tout simplement Gilles en regagnant sa place, comme si le geste posé méritait une explication.

Cette fois-ci non plus, Thomas ne ressentit nul besoin d'en rajouter. Avec Gilles, surtout depuis le décès de Jeanne, il n'était pas toujours essentiel d'expliquer les choses.

Les deux hommes passèrent un long moment silencieux, chacun perdu dans ses réflexions qui, comme le pressentait Thomas, devaient probablement se rejoindre autour du nom de Jeanne.

Tout au long de la journée, ce nom avait été une véritable litanie, pour Thomas, comme si Jeanne l'attendait au réveil et avait épié le moindre geste porteur de souvenir.

Pourtant, cela faisait un bon moment que Thomas n'avait pas eu le nom de sa femme aussi présent en tête. En fait, depuis l'arrivée de Simone dans sa vie, Thomas arrivait même à passer de longues journées sans penser à sa tendre Jeanne.

Mais pas aujourd'hui.

Au fil des heures, chaque fois qu'il était passé par la cuisine et que son regard avait croisé celui de Simone, c'est le nom de Jeanne qui lui avait transpercé le cœur et l'esprit. Jeanne qui, tout comme Simone, préférait cuisiner seule. Jeanne qui, elle aussi, lui souriait chaque fois qu'il traversait la pièce. Jeanne qui portait invariablement ce même long tablier blanc.

Jeanne et Simone…

Thomas ferma les yeux, et aussitôt le crépitement du feu l'enveloppa de mille et un souvenirs qui, outrecuidants, s'imposèrent à lui.

Avec une clarté saisissante, Thomas revit Jeanne lisant auprès du feu. Jeanne regardant les flammes mourir et disant que les tisons ressemblaient à une ville fantastique où elle aurait aimé pouvoir se perdre. Jeanne et sa musique, avec tous ces chanteurs français qui envahissaient régulièrement la maison. Jeanne et ses projets, Jeanne et ses petits pense-bêtes éparpillés un peu partout. Jeanne et ses plantes, Jeanne et son amour pour leur famille…

Il y avait ici, dans ce salon, dans cette maison, une abondance de souvenirs que Thomas ne voulait pas perdre. Pourtant, il était conscient que la vie était en train de l'emporter loin, très loin de sa zone de confort. Ici, c'était facile de s'accrocher à tout ce qui avait eu de l'importance entre Jeanne et lui, puisque leur vie à deux était inscrite jusque dans l'air qu'il respirait. À cause de cela, il devenait plus facile de regarder devant.

Même sans la présence de Jeanne, Thomas avait réappris le sens du mot *avenir* et il lui arrivait régulièrement de le prononcer avec un certain enthousiasme quand il y greffait le nom de Simone.

Jeanne et Simone…

Thomas ouvrit les yeux sur les flammes qui léchaient les bûches en crépitant joyeusement.

Il n'y avait pas de foyer chez Simone. Thomas se répéta pour la énième fois que ça allait terriblement lui manquer. Une bonne flambée, un verre de vin ou un café, un livre ou une discussion à deux faisaient partie de ces réminiscences auxquelles Thomas était attaché.

Il aurait bien aimé le déménager avec lui, ce souvenir apaisant.

Reproduire ailleurs ce qui l'avait rendu heureux ici.

Malheureusement, Gustave avait une peur irraisonnée du feu. Pas question, donc, de proposer l'installation d'un âtre, même au gaz.

Sur cette constatation navrante, maintes fois ressassée en tous sens, Thomas échappa un bruyant soupir.

— Fatigué ?

Une ride d'interrogation creusée entre les sourcils, Gilles considérait son ami attentivement. Thomas haussa les épaules.

— Pas vraiment.

— De l'ennui anticipé, alors ?

À cette seconde question, Thomas répondit en premier lieu par un bref silence tandis que, machinalement, il jetait un regard circulaire tout autour de la pièce. Puis, il revint à Gilles et laissa tomber :

— Effectivement, ça ressemble à ça, même si ce n'est pas précisément ce que je souhaitais en prenant la décision de rejoindre Simone.

— Je ne comprends pas que tu aies pu imaginer la chose autrement… C'est combien d'années, au juste, que tu vas laisser derrière toi ?

Thomas gonfla ses joues avant d'expirer bruyamment.

— J'aime mieux ne pas compter. Au moins vingt-cinq, ça c'est sûr !

— Et tu pensais refermer la porte sur vingt-cinq années de ta vie sans le moindre regret ?

—C'est bête à dire, mais oui!

Second regard autour de la pièce avant que Thomas poursuive.

—Oui, c'est exactement ce que j'espérais.

Il y avait une sorte d'agressivité dans la voix de Thomas. Une hostilité qui s'estompa, cependant, quand il ajouta:

—D'autant plus que c'est Mélanie qui vient s'installer ici. Je me disais que la transition serait ainsi plus facile à faire.

—C'est vrai que ça peut aider.

—Bien non, vois-tu!

L'agressivité était revenue entière.

—Ça n'aide pas le moindrement du monde. Depuis ce matin, j'ai le cœur dans l'eau à la simple pensée que dans deux jours, je n'habiterai plus ici. Je ne sais pas ce qui m'a pris d'offrir la maison à Mélanie.

—Il t'a pris de vouloir aider ta fille, tout simplement. Je me souviens fort bien que tu étais tout heureux de m'annoncer la nouvelle.

—Et c'était vrai! C'est encore vrai! Je suis heureux pour Mélanie.

—Alors?

—Alors, je ne sais pas…

—Et Jeanne, elle?

Cette question, qui à première vue n'avait aucun sens, s'inscrivit aussitôt dans la ligne de pensée de Thomas.

—Quoi, Jeanne? demanda-t-il uniquement pour créer un lien entre ce que Gilles venait de dire et ce que lui allait ajouter, parce qu'il comprenait très bien où Gilles voulait en venir.

Thomas leva les yeux et laissa son regard filer jusqu'à la cuisine qu'il apercevait en diagonale. Il avait les sourcils froncés, le souffle court, comme s'il était bousculé par le temps, comme s'il voulait être bien certain d'avoir emmagasiné à tout jamais certaines images, la plupart de ses émotions et une multitude de souvenirs.

— Justement, Jeanne ! cracha-t-il finalement comme s'il mordait dans les mots. C'est là où le bât blesse, tu sauras !

Tout en parlant, Thomas avait ramené les yeux sur Gilles.

— En quittant la maison, j'ai l'impression que c'est Jeanne qui va me quitter pour une seconde fois… Non, ce n'est pas exactement ça. Je t'avouerais que c'est intolérable parce que cette fois-ci, j'ai la très nette impression que c'est moi qui l'abandonne. C'est dommage, vraiment dommage de penser comme ça, mais je n'y peux rien et ça teinte de grisaille le fait d'aller vivre avec Simone. Elle ne mérite sûrement pas ça.

— C'est vrai que Simone ne mérite pas ça, renchérit Gilles comme si Thomas avait besoin de cette réflexion.

Le regard concentré sur les flammes, Gilles tournait inlassablement son verre vide entre ses doigts.

— C'est une femme exceptionnelle, d'une grande générosité, ajouta-t-il.

— Arrête d'en jeter, la cour est pleine ! Comme si je ne savais pas tout ça ! Bien sûr que Simone est une femme merveilleuse. Si tel n'était pas le cas, je ne serais pas là à discuter avec toi du fait que je veux vivre avec elle. Je ne regrette pas ma décision, crois-moi, c'est l'enrobage qui rend cette décision difficile à avaler. À l'inverse, si c'était Simone qui venait me rejoindre ici, il me semble que tout serait plus facile.

— Vraiment ?

— Oui, vraiment.

— Permets-moi alors de te dire que je ne suis pas d'accord avec toi.

Tandis qu'il parlait, Gilles avait tendu le bras pour attraper la bouteille de cognac et il s'était servi une longue rasade de liquide ambré qui scintillait dans le reflet des flammes.

— Ce serait d'être resté ici qui aurait été un affront à Jeanne. Cette maison, fit-il en montrant la pièce d'un large mouvement du bras tout en se calant dans son fauteuil, c'est le domaine de Jeanne. C'est ici que vous avez écrit l'histoire de votre famille. Je ne vois pas comment Simone aurait pu s'introduire ici sans tout bouleverser.

— Et pourtant, il va bien falloir que cela se fasse, Gilles ! Ici ou ailleurs, il va y avoir indéniablement un bouleversement. Si je suis pour vivre le reste de mes jours avec Simone, il va falloir qu'elle se tisse un nid dans ce que tu appelles l'histoire de notre famille. Elle ne prendra jamais la place de Jeanne, c'est bien certain, et je crois que les enfants l'ont finalement et heureusement compris. N'empêche que, dorénavant, Simone sera à mes côtés tout comme Jeanne l'a été. Nous allons projeter l'image d'un couple, exactement comme si nous étions mariés. Il va falloir que tout le monde s'y fasse. À commencer par moi. C'est Simone, désormais, qui va partager mon quotidien.

— Et ça te fait peur ?

Un fin silence succéda à ces quelques mots. Puis, Thomas reprit d'une voix lasse.

— Un peu, oui. J'en ai envie, cela ne fait aucun doute. Je ne suis pas fait pour la solitude, je l'ai compris. Mais en même temps, c'est vrai, ça me fait peur. Non que Simone finisse par prendre la place de Jeanne. Cela, je crois, fera toujours partie des impossibilités. Des improbabilités. Pour moi, pour les enfants, Jeanne est et sera toujours unique, irremplaçable. Et c'est justement à cause de ça que j'ai peur d'être critique envers Simone. Peur d'être peut-être trop exigeant parce que, inévitablement, je vais avoir tendance à faire des comparaisons. Je me connais, tu sais. Déjà que parfois...

Sur ce, Thomas échappa un long soupir sans pousser ses explications plus loin. Gilles respecta le silence qui s'installa alors entre eux durant quelques instants puis, d'une voix très calme, comme s'il se faisait tout simplement l'écho de la conscience de Thomas, il demanda :

— Est-ce que tu l'aimes ?

Thomas tourna lentement la tête vers son ami.

— Qui ? Simone ? demanda-t-il comme si la question portait à confusion. Bien sûr que je l'aime, sinon, je n'envisagerais pas de vivre avec elle. Mais en même temps, c'est tellement différent de ce que j'ai ressenti pour Jeanne.

— C'est normal, Simone n'est pas Jeanne.

— Et elle ne le sera jamais, murmura alors Thomas. C'est exactement ce que je viens de te dire. Pourtant, je l'aime. Différemment, mais je l'aime.

— Alors, laisse les regrets derrière toi et file la rejoindre. Bâtis avec elle une vie qui vous ressemblera comme tu l'as jadis fait avec Jeanne. C'est sûr qu'à certains moments, tu ne pourras faire autrement que de comparer. C'est normal. On a tous des souvenirs auxquels on tient. Ça n'empêche pas d'apprécier le moment présent.

— Tu as raison et je le sais. Comme tu as raison de dire que Simone n'aurait pas pu venir s'installer ici. C'est dans ce contexte que les comparaisons auraient risqué de se faire nombreuses… Et pas juste pour moi ! Ça aurait été pénible pour les enfants aussi…

Sur ce, Thomas secoua vigoureusement la tête avant de pousser un dernier soupir, qui se posa là comme une conclusion à tout ce qui venait de se dire.

— Trêve de discussions ! Je sais que la transition ne sera pas facile à vivre, mais j'ai pris ma décision. À moi d'y faire face.

Puis, après un court silence, Thomas ajouta, d'une voix serrée, en regardant Gilles droit dans les yeux :

— Si j'ai pu m'habituer à me lever, jour après jour, sans la présence de Jeanne à mes côtés, expliqua-t-il gravement, je devrais être capable de m'éveiller dans une autre chambre que la mienne… Maintenant, je vais préparer du café. Fort ! Ça va aider à faire passer ce délicieux cognac que tu as bu avec une certaine libéralité.

Chapitre 2

« Parle-moi de mon enfance, papa. Raconte-moi comment c'était quand j'étais une petite fille. La mort de maman a tout effacé. Ce qu'il me reste d'elle, c'est l'image d'une femme brisée par la maladie. Dis-moi comment c'était avant. Dis-moi qui était ma mère. »

Paroles de Jeanne à son père en octobre 2004.

Tous les matins depuis bientôt trois ans, avant même de se lever, Armand Lévesque prenait le temps de relire la lettre écrite par sa fille. Une lettre que son gendre Thomas lui avait remise au moment du décès de Jeanne.

Tous les matins, sans exception, le vieil homme essuyait une larme avant d'esquisser un fragile sourire. Jeanne Lévesque était morte comme elle avait vécu, en battante, et malgré la douleur de l'absence, il n'aurait pu souhaiter mieux pour elle.

Jeanne, sa merveilleuse Jeanne, était décédée d'un cancer, tout comme sa mère avant elle.

— Qui donc a eu le culot de dire que cette maladie n'était pas contagieuse ? murmura tristement l'octogénaire en dépliant soigneusement les deux feuillets de la lettre qu'il s'apprêtait à relire.

Armand avait perdu les deux femmes de sa vie de la même façon, à plus de quarante ans d'intervalle.

Jeanne, sa fille tendrement aimée, et Béatrice, son épouse, son unique amour, avaient été emportées pareillement du cancer, et toutes les deux, elles avaient combattu jusqu'à la fin. Chacune selon son entendement. Chacune selon l'époque qui avait été la sienne. Béatrice, malgré la douleur, avait gardé le sourire jusqu'à la fin. Jeanne, pour sa part, avait préféré mourir debout, comme elle l'avait écrit dans cette dernière lettre. Aux yeux d'Armand, toutes les deux, elles avaient fait preuve d'un courage admirable, et c'est ce qu'il se répétait jour après jour, quand il relisait les mots de Jeanne.

« ... *Avant de n'être que douleur et gémissements, je préfère tirer ma révérence. Tu sais comme j'ai toujours eu peur de la douleur, n'est-ce pas ? De toute façon, je ne serais d'aucune utilité pour les miens et le souvenir qu'ils garderaient de moi serait entaché de tristesse à cause de ces derniers mois inutiles. Je leur ai dit ce que j'avais à dire, et même plus; je leur ai donné tout ce que je pouvais leur donner; et je les ai aimés pour au moins l'espace de toute une éternité. Que demander de plus ? Ces dernières semaines, ces ultimes semaines, devrais-je dire, celles que j'aurais pu ajouter à mon existence, péniblement et dans la douleur, n'auraient été que superflues, tant pour eux que pour moi. J'ai donc choisi de m'en aller maintenant. J'ai choisi de mourir debout pendant qu'il était encore temps. Quant à toi, cher papa, tu m'as toujours dit qu'un jour, je retrouve-*

rais maman. Il me semble bien que le moment fixé pour le rendez-vous soit arrivé. Dans cet au-delà que j'ai encore beaucoup de difficulté à imaginer, il ne manquera que toi, mais ne te sens pas obligé de faire vite. J'ai toute une vie à raconter à maman. C'est long, raconter une vie.

Voilà, tu sais tout de moi, maintenant. Cette décision de partir n'appartenait qu'à moi. Je te demande seulement de la respecter comme tu m'as respectée tout au long de ma vie et comme Thomas a choisi de me respecter jusqu'au bout. Bien entendu, la plus complète discrétion s'impose. Je n'ai pas à préciser le pourquoi de la chose, je sais que tu le comprendras et je te fais confiance. Si, malgré ces mots, mon départ t'était trop pénible, demande à Thomas de t'aider. Il saura peut-être quoi faire et comment le faire.

Je t'aime, papa. Je n'aurais pu espérer meilleur père que toi et si je te dis adieu, c'est vraiment dans le sens où toi tu l'entends, car j'ose croire qu'un jour, nous nous retrouverons.

Tendrement,
Ta Jeanne »

Voilà les mots qu'Armand relisait au réveil chaque matin même s'il les savait depuis longtemps par cœur. Ils guidaient sa journée. Si sa fille avait eu le courage d'une décision aussi lourde de conséquences, il pouvait bien faire l'effort de se lever, de s'habiller, d'afficher un sourire et de traverser le plus sereinement possible chacune des journées qui s'offraient à lui. Il le faisait en souvenir de Jeanne, bien sûr, mais aussi pour Sébastien, ce petit-fils qui vivait avec lui depuis tant d'années maintenant. En effet, à l'aube de son cours collégial, Sébastien avait choisi de quitter Montréal, sa famille et sa sœur jumelle pour venir s'installer chez son grand-père afin de poursuivre ses études. Pourquoi ? Personne ne l'avait jamais vraiment su et au fond, ce n'était pas si important de le savoir. À ce moment-là, Jeanne avait tout de même confié son fils à son père et même si aujourd'hui Sébastien était devenu un homme, Armand se sentait, jusqu'à un certain point, toujours responsable de ce petit-fils avec qui il s'entendait si bien.

De toute manière, pour l'instant, chacun y trouvait son profit : gîte et couvert pour Sébastien, puis pour Armand, dans son grand âge, une présence essentielle à son quotidien. Aux yeux du vieillard, continuer de voir à Sébastien, jour après jour, c'était une façon comme une autre de rester uni à sa fille.

La lettre lue et rangée dans le tiroir de sa table de chevet, Armand repoussa enfin les couvertures et entreprit le long processus l'amenant à sortir du lit. Chaque matin, il en avait au moins pour une heure avant de se sentir plus alerte, les jambes moins raides et le dos moins courbaturé.

C'est au moment où il passait dans la salle de bain attenant à sa chambre, clopinant bruyamment avec sa canne ou son déambulatoire, selon l'état du matin, qu'il entendait habituellement Sébastien s'activer de son côté.

Le jeune homme réglait le moment de son réveil sur celui de son grand-père qui lui, pour sa part, tenait compte des activités de son petit-fils pour mettre sa journée en branle. La routine s'était établie en toute harmonie, sans que personne n'ait besoin d'en fixer les modalités. Il faut dire que l'alchimie avait toujours été bonne entre le grand-père et son petit-fils, à un point tel qu'Armand appelait affectueusement Sébastien *fiston*!

— De mes trois petits-enfants, avait-il un jour confié à Thomas, il y a de cela fort longtemps, c'est Sébastien qui ressemble le plus à sa mère. Une chose entraînant l'autre, je ne suis donc pas surpris que l'on s'entende si bien, lui et moi.

Puis, quelque temps après les funérailles, alors que la famille se réunissait chez lui pour tenter de fêter malgré tout un premier Noël sans Jeanne, et devant la visible curiosité de Thomas, Armand avait précisé sur un ton interrogatif :

— Ça ne t'embête pas que j'appelle ton fils *fiston*, n'est-ce pas? Le mot m'est venu spontanément après les funérailles... Cette petite appellation affectueuse nous fait du bien, à tous les deux.

Devant l'acceptation de Thomas, le nom était donc resté.

C'est ainsi que depuis quelques années déjà, une entente de bon aloi s'était harmonieusement établie entre les deux hommes. De son côté, Sébastien n'avait jamais manifesté la moindre impatience devant les caprices du vieillard qu'était devenu son grand-père, et, en contrepartie, celui-ci avait accueilli à bras ouverts l'ami de cœur de son petit-fils, le grand Marc-Antoine. Pour un homme de sa génération, le geste était peut-être surprenant, mais quand on connaissait Armand, on n'avait plus le moindre doute quant à la sincérité de ses propos lorsqu'il disait que Marc-Antoine était le bienvenu chez lui. Même si ce dernier avait toujours refusé d'habiter dans l'immense manoir d'Armand Lévesque, il en possédait une clé, savait le code de sécurité de la porte principale et n'avait jamais besoin d'annoncer sa venue à l'avance.

À ce trio pour le moins hétéroclite s'était greffée celle qu'Armand nommait cérémonieusement *sa dame de compagnie* et que Sébastien appelait plus commodément madame Germaine, avec cependant une réelle note d'attachement dans la voix.

Madame Germaine !

La gentillesse faite femme, doublée d'une cuisinière hors pair. « Une vraie soie », comme le disait Armand à Sébastien quand ils parlaient d'elle dans l'intimité.

— L'avoir rencontrée plus tôt dans ma vie, je me serais peut-être laissé tenter par un second mariage, avait même lancé le vieil homme à la rigolade, un jour où il se sentait un peu léger et un tantinet moqueur.

Pour lui, ce n'était qu'une manière anodine de montrer sa grande appréciation.

Entrant dans le jeu, Sébastien avait cependant répondu impulsivement, affectant un air docte et sérieux, l'index pointé vers son grand-père :

— Il n'est jamais trop tard pour bien faire, tu sais !

Comme si le jeune homme ne savait pas que c'est délibérément qu'Armand Lévesque n'avait jamais cherché à se remarier ! Sa Béatrice n'aurait pu souffrir la moindre comparaison, ainsi qu'Armand lui-même l'affirmait avec fougue et spontanéité à la moindre occasion.

— Quand on a connu un amour comme le nôtre, Béatrice et moi, avait-il alors précisé pour qu'il n'y ait aucun doute dans l'esprit de son petit-fils, il ne sert à rien de chercher ailleurs. On sait qu'on ne trouvera pas, puisqu'on a déjà goûté à la perfection !

Ce jour-là, à cause précisément de ces mots-là, un peu maladroits malgré toute leur sincérité, il y avait eu un certain malaise entre les deux hommes. Sébastien était convaincu que ses parents avaient connu un amour aussi exclusif, aussi profond que celui qui avait uni son grand-père à son épouse. Toute son enfance avait été baignée de cette relation particulière qui unissait Jeanne et Thomas.

Et ce fait inéluctable n'avait pas empêché son père Thomas de vouloir refaire sa vie avec une autre.

Malheureusement, par ses propos malhabiles, son grand-père avait laissé entendre que la qualité de la relation entre sa fille et Thomas n'était pas aussi remarquable qu'il le croyait, et brusquement, Sébastien avait eu la sensation qu'elle venait de perdre un peu de son éclat.

La constatation lui avait été aussitôt difficilement tolérable.

Le jeune homme avait alors quitté le salon sans autre forme de discussion, une vague excuse marmonnée du bout des lèvres. Les mots lui manquaient, gommés par une recrudescence de son chagrin, et comme cette réaction ressemblait étrangement à celle que Jeanne elle-même aurait eue, Armand avait laissé son petit-fils partir sans chercher à le retenir. Sébastien finirait bien par revenir de lui-même; il l'avait toujours fait.

De sa mère, le jeune homme avait hérité la droiture et le gros bon sens, l'empathie et un sens critique peu commun. Hypersensible, il était fragile et vulnérable, et son orientation sexuelle, encore trop souvent, hélas! considérée comme marginale, n'avait rien en soi pour l'aider à s'affirmer. À l'image de Jeanne, tout le courage de Sébastien lui venait de la force de ses convictions même si, régulièrement, il était plutôt enclin à acheter la paix par ses silences prolongés.

Le froid avait donc duré quelques jours, le temps que Sébastien fasse la part des choses et qu'Armand comprenne le malentendu. Le vieillard avait aussitôt accepté son erreur et avait cherché à la réparer. Sébastien n'étant pas rancunier, et c'était là un autre trait de caractère venu de sa mère, il avait suffi d'une main tendue pour engager le dialogue. Le temps d'une courte explication et le sourire affleurait sur les lèvres du jeune homme.

Depuis, c'était le beau fixe entre Armand et Sébastien, madame Germaine glissant parfois son grain de sel, ses vues et ses argumentations dans leurs discussions ménagères, tout comme elle continuait d'alimenter certaines conversations privées lorsqu'elle quittait la maison, le soir venu.

Aujourd'hui, madame Germaine, justement, avait prévenu qu'elle serait en retard, visite chez le dentiste oblige !

— Ne m'attendez pas avant midi, je suis toute chose quand je vais chez le dentiste. J'en ai toujours pour un bon moment avant de m'en remettre. Ne le répétez à personne, mais j'ai une peur bleue de cet homme autrement plutôt gentil.

Ce serait donc Sébastien qui passerait l'avant-midi avec Armand, puisqu'il n'avait aucun cours à donner en ce mardi matin. Tout en se rinçant le visage, le vieil homme en soupira d'aise. Il aimait bien ces petits imprévus qui pimentaient un quotidien plutôt prévisible.

Un coup discret, frappé au même moment à la porte de sa chambre, lui signala que le jeune homme l'attendait. Armand termina rapidement ses ablutions.

— J'ai presque fini, Sébastien ! Tu peux entrer. Ma robe de chambre est déposée au pied du lit ! J'arrive !

Rien ne faisait plus plaisir au vieil homme que d'avoir la chance de déjeuner en robe de chambre. Surtout par une belle journée d'été comme celle d'aujourd'hui, la terrasse étant inondée de soleil. Quand madame Germaine arrivait plus tôt, ce petit plaisir lui était défendu, car Armand se faisait un devoir de l'accueillir décemment vêtu.

— On va prendre le café dehors, n'est-ce pas ? lançat-il depuis la salle de bain d'une voix guillerette. Il fait tellement beau !

Il s'attendait à une réponse sur le même ton, Sébastien appréciant lui aussi les belles journées d'été. Il eut droit à un « d'accord » plutôt terne et le grand-père en lui s'en inquiéta aussitôt.

Qu'est-ce qui n'allait pas pour que Sébastien ait l'air aussi morose ? Une soirée désagréable ? Une nouvelle désagréable ?

Malgré la curiosité qui le taraudait, Armand fit mine de rien. Sébastien n'était plus un gamin. S'il avait envie de parler, il le ferait à son heure. N'empêche que ce manque d'enthousiasme posa un léger nuage sur cette journée qu'Armand voyait comme parfaite, un peu comme un dimanche.

Ce premier repas de la journée fut donc passablement monotone, en désaccord avec le soleil qui inondait la cuisine et toute la cour arrière de la maison. Sébastien était taciturne et se contentait de monosyllabes en guise de réponses à son grand-père, qui, s'entêtant à faire semblant de rien, jouait les boute-en-train et se montrait passablement en verve.

— As-tu vu comme les rosiers sont beaux ? Il n'y a pas à dire, madame Germaine sait y faire !

— Hum !

Tandis qu'Armand savourait son café à petites gorgées gourmandes, Sébastien, lui, laissait refroidir le sien. De toute évidence, le jeune homme était maussade. Qu'à cela ne tienne, Armand ne lâcherait pas le morceau ! La journée était trop belle et la brise, trop douce pour qu'on soit de si mauvaise humeur sans la moindre explication.

Entre deux gorgées longuement savourées, le vieil homme continua donc de caqueter.

— Et que dire de la pelouse? Là, c'est toi qui as la main, fiston. Pas un pissenlit cette année!

— Ouais.

Troisième gorgée de café du côté d'Armand et un lent regard autour de la cour avant qu'il poursuive.

— Et la haie de cèdres! lança-t-il finalement, arrivé au bout de son inspection minutieuse du parterre. Admire-moi un peu cette haie de cèdres! Ton ami Marc-Antoine l'a taillée juste ce qu'il fallait l'été dernier. Maintenant, elle semble encore plus fournie.

— Alors, ça nous fera un souvenir de lui, murmura Sébastien, faisant cette fois l'effort d'une phrase complète alors que son regard se joignait à celui de son grand-père et qu'il inspectait la haie à son tour.

Une haie qui, comme venait de le souligner Armand, semblait, en effet, particulièrement luxuriante cette année.

À ces mots, Armand sentit son vieux cœur s'emballer. Avait-il bien compris? Était-ce là une perche que Sébastien lui tendait pour entamer un certain dialogue qui permettrait d'expliquer l'humeur capricieuse de ce matin?

— Un souvenir? Je ne comprends pas, fit-il alors sur un ton retenu.

— Oh si, tu as bien compris! Je te connais, va! Quand tu me réponds par une question, c'est justement que tu as tout compris.

Armand esquissa un sourire contrit.

— D'accord, je n'essaierai pas de jouer au plus malin avec toi. Alors ? Veux-tu en parler ?

— Pour dire quoi ?

Armand haussa les épaules avec un certain fatalisme.

— Tout ce qui te passe par la tête, suggéra-t-il.

À cette réponse, ce fut au tour de Sébastien d'esquisser un vague sourire.

— Tu ne voudrais probablement pas savoir tout ce qui me passe par la tête depuis hier soir...

— Mais encore ?

— Bof, probablement la même chose que pour le premier quidam qui vient de perdre ses illusions.

À ces mots, Armand se redressa sur sa chaise de rotin et repoussa sa tasse à moitié vide. L'amertume du café lui était subitement désagréable.

— Premièrement, tu n'es pas le premier quidam qui passe, fiston, souligna-t-il d'une voix sévère, mais tout de même empreinte de bienveillance. N'oublie jamais cela. Tu es mon petit-fils, ce n'est pas rien. Et deuxièmement, si tu as de l'importance à mes yeux, tu en as aussi aux yeux de plusieurs personnes. Il y a ta famille qui tient à toi et il y a aussi toute une bande d'étudiants qui ont beaucoup d'estime pour toi. On n'a qu'à entendre le téléphone sonner à tout propos et à tout moment pour en être convaincu !

Cette dernière constatation arracha un vague sourire à Sébastien. Effectivement, le téléphone sonnait régulièrement et souvent pour pas grand-chose.

— C'est gentil de dire ça, apprécia le jeune homme.

— C'est surtout très vrai, conclut l'aïeul, heureux d'apercevoir une certaine détente dans l'attitude de son petit-fils.

— D'accord, tu as raison. Et merci de me le rappeler même si ça ne change rien à ma situation.

Sur un long soupir, l'éclat qui avait rapidement traversé le regard de Sébastien s'éteignit. Puis, il murmura d'une voix étranglée :

— Ça fait mal, perdre celui qu'on aime.

— C'est vrai, ça fait très mal, reconnut Armand évitant de rechercher le regard de Sébastien pour ne pas rompre la fragilité du fil des confidences. Je suis bien placé pour te comprendre. Les deux femmes qui ont eu de l'importance dans ma vie ne sont plus là.

Ces mots se voulaient un peu de réconfort, mais Sébastien n'entendit que le reproche.

— Je vois que je me plains peut-être pour pas grand-chose, fit-il avec une certaine amertume. J'aurais dû m'y attendre : tu as vécu tellement pire que moi.

Armand comprit aussitôt la méprise.

— Non, Sébastien, tu te trompes du tout au tout. Ce n'est pas ce que j'ai voulu dire.

Le jeune homme poussa un second soupir qui se mêla à la brise qui soulevait mollement un coin de la nappe qu'Armand avait tenu à mettre sur la table de fer forgé.

— Je le sais bien, au fond, que tu ne voulais pas être méchant, admit Sébastien, revenant ainsi sur ses paroles. Tu ne voulais surtout pas faire de comparaison, ça ne te ressemblerait pas du tout. Je m'excuse !

— Tu n'as pas à t'excuser, fiston. Le fait de parler de moi était définitivement malhabile de ma part, j'en conviens. Pourtant, ce que tu vis présentement s'apparente à ce que j'ai vécu. Perdre un être cher, quelles que soient les circonstances, c'est un deuil à vivre.

— Un deuil, répéta Sébastien d'une voix songeuse. Oui, tu as raison. Je me sens présentement un peu comme lorsque maman est décédée. C'est comme si j'avais un grand vide à la place du cœur et en même temps, c'est si lourd à porter que j'ai peur d'étouffer… Pourtant, il me semble que je n'en demandais pas tant que cela. Juste une vie normale, murmura-t-il d'un même souffle, ouvrant ainsi un peu plus grand la porte des confidences.

Armand s'y aventura du bout des mots.

— Une vie normale ?

Sébastien leva la tête et plongea brièvement son regard dans celui de son grand-père.

— Une vie normale, oui, répéta-t-il en détournant aussitôt les yeux, comme s'il était profondément mal à l'aise de prononcer ces mots qui étaient encore, à certains égards, fort mal vus. Une vie de couple faite de quotidien, de projets, de routine, de toutes ces petites choses qui font la vie, justement.

Armand, comprenant que Sébastien parlait surtout pour lui-même, se retint de l'interrompre.

— C'est tout ce que j'espérais quand Marc-Antoine est entré dans ma vie, reprit Sébastien après une courte introspection. Je voulais qu'il vienne s'installer ici, avec moi, avec nous. J'espérais que ça serait pour la vie, lui et moi. J'espérais sincèrement qu'on se bâtirait une existence à deux, qu'on regarderait ensemble vers l'avenir. Mais non ! Marc-Antoine tient à sa liberté. C'est ce qu'il m'a dit hier soir quand je lui ai demandé à quel moment il se déciderait à venir s'installer ici. Il tient à moi, mais il tient aussi à garder sa liberté, répéta Sébastien. Et comme cette vision des choses est incompatible avec l'idée que je me fais d'une relation durable...

Sébastien laissa porter ses idées et ses déceptions sur ces dernières paroles, que le trille d'un oiseau qui s'en donnait à cœur joie dans le gros lilas, au fond de la cour, avait interrompues.

Armand comprit alors que la rupture venait de Sébastien, et dans de telles circonstances, une forme de culpabilité inutile mais bien réelle devait se greffer à sa tristesse.

Aurait-il pu faire autrement ? Aurait-il dû faire autrement ?

Devant une telle situation, Armand se sentit dépassé. Des peines d'amour, il n'en avait eu que deux dans sa vie, et dans les deux cas, la mort avait été l'unique interlocutrice. Lui, Armand Lévesque, n'avait eu aucun droit à la riposte.

Alors, que dire ce matin pour consoler Sébastien ? Où puiser l'inspiration puisqu'il n'avait aucune expérience en la matière ?

Ce fut instinctif : Armand pensa aussitôt à Jeanne. Elle, elle aurait su les mots à dire et la façon de les dire. Mais lui...

— Et si tu en parlais avec ton père ? suggéra-t-il finalement, à court d'imagination.

Du coin de l'œil, Armand vit les épaules de Sébastien se crisper.

— Papa ?

Malgré l'interrogation, le vieil homme comprit que l'opinion de Sébastien allait dans un tout autre sens et qu'elle était sans appel.

— Non, grand-père. Pas papa. Il ne comprendrait pas. C'est à peine s'il accepte que...

Encore une fois, Sébastien laissa l'idée en suspens, sachant fort bien que son grand-père comprendrait sans qu'il ait besoin de préciser.

— Et ça vaut aussi pour Mélanie, compléta-t-il un peu durement avant que la suggestion ne vienne de son grand-père. Même si ma sœur accepte de me voir avec un homme, il n'en reste pas moins qu'elle est déçue. La vie que je lui propose ainsi, les relations qui vont se vivre entre nous, dorénavant, ne ressemblent pas à ce qu'elle avait espéré.

— Tu lui en as déjà parlé ?

— Non... Avec Mélanie, je n'ai pas toujours besoin de demander des explications. Je le sais, c'est tout.

— Je vois... Alors, tu as choisi de parler à ton vieux grand-père, c'est bien ça ?

— Disons, oui. Après tout, c'est peut-être toi qui es le plus proche de maman, n'est-ce pas ?

Deux interrogations qui se répondent. Deux interrogations qui n'en sont pas vraiment.

Un ange traversa le jardin, comme si tout à coup, la brise était devenue le souffle de Jeanne.

Un lourd silence succéda à ces mots. Un silence chargé de souvenirs et d'émotion, porté par le bruissement des feuilles et le chant des oiseaux. Ce fut Armand qui l'interrompit, quelques instants plus tard, la voix enrouée.

— Elle te manque, n'est-ce pas ?

Sébastien se racla la gorge pour pouvoir répondre.

— Oui, terriblement, répondit spontanément le jeune homme sans avoir besoin de spécifier de qui il parlait. Même quand tout va bien, elle me manque. Alors, tu peux imaginer comment je me sens ce matin.

Armand opina longuement du bonnet avant de poursuivre.

— Oh oui, je peux très bien imaginer comment tu te sens, fiston ! À moi aussi, Jeanne manque considérablement.

Même s'il le savait, de l'entendre dire apporta un certain réconfort à Sébastien. Il se sentait moins seul, et pour l'exprimer, il offrit un sourire fragile à son grand-père.

— Est-ce qu'on va guérir un jour ? demanda-t-il enfin. Est-ce que ça finit par cicatriser complètement, un cœur blessé ?

Sans répondre, Armand porta le regard jusqu'au fond de la cour, se répétant, comme au moment des plus grandes tristesses, que son jardin ressemblait intimement à celui de Jeanne avec sa haie de cèdres et ses rosiers sauvages et que ça lui permettait d'être un peu plus proche d'elle.

— Oui, ça finit par cicatriser, un cœur blessé.

Et par ces mots, Armand parlait autant des deuils qui avaient traversé sa propre vie que de la douleur d'une séparation comme celle qui affectait présentement Sébastien. Ça se jouait peut-être à deux niveaux différents, mais pour l'instant, c'était tout aussi douloureux.

— Un jour, crois-moi, de folle et intense, ta douleur deviendra diffuse. Puis elle s'estompera complètement, et ce que je dis rejoint à la fois le décès de ta mère et ce que tu vis présentement. Dans un premier temps, on apprend à survivre, puis lentement, on apprend à vivre à nouveau. On réapprend même à rire. Mais la cicatrice, elle, restera bien visible tout au long de la vie. Si ça fait moins mal, si ça ne fait plus mal du tout, on n'oublie pas pour autant. Je crois que par instinct, ou par intuition, Jeanne avait deviné combien ça serait difficile pour nous. Peut-être se rappelait-elle tout simplement le décès de sa propre mère ? Peut-être mesurait-elle l'intensité des sentiments qui nous unissaient ? Je ne le sais pas, mais toujours est-il qu'elle nous a laissé une lettre. Des mots, pensés par elle, pour nous, sur le ton qu'elle aurait pris pour murmurer une confidence puisqu'elle a laissé un message différent à chacun d'entre nous. Relis cette lettre, Sébastien. Peut-être trouveras-tu là tout ce dont tu as besoin pour faire un premier pas dans la bonne direction.

— Peut-être...

Sébastien resta prostré, songeur, et Armand se dit que son petit-fils était peut-être en train de revoir certains des passages de la lettre que Jeanne lui avait laissée.

— Toi, grand-père, poursuivit Sébastien, levant vers Armand un regard rempli d'espérance, est-ce que tu la relis, la lettre que maman a laissée pour toi?

— Oui, je la relis. Et je le fais même…

Une certaine pudeur musela brusquement Armand, qui n'arriva pas à avouer qu'il la relisait tous les matins. Il inspira longuement. Au fond, Sébastien avait-il vraiment besoin de le savoir?

— Oui, je la relis, reprit-il sans pousser plus loin les explications. Et vois-tu, ça me fait un bien fou.

— Ça ne te rend pas triste?

— Au contraire! C'est comme si Jeanne revenait me parler. Après tout, ces mots-là, elle les a écrits juste pour moi. Ce n'est pas un quelconque testament, papier froid et impersonnel s'il en est un, laissé pour l'ensemble de ses héritiers. Ce sont des lignes et des paragraphes choisis soigneusement et écrits par ma fille, pour moi.

— C'est vrai… Peut-être que je devrais la relire, moi aussi. Jusqu'à maintenant, je n'avais pas osé.

— Alors, ose, fiston, ose! Je suis persuadé que ça ne peut te faire de tort. Et si jamais ta lecture ramenait certaines larmes, ce seraient de bonnes larmes, crois-moi. Maintenant, j'aimerais bien que tu m'aides à retourner à l'intérieur. Le temps file et je suis toujours en tenue de nuit. Il ne faudrait surtout pas que madame Germaine arrive alors que je suis encore en pyjama!

Chapitre 3

« La petite Marie-Jeanne semble vouloir ressembler à sa grand-maman. Curieux ce que l'hérédité peut faire ! Si j'étais une bonne fée, je me pencherais sur son berceau pour lui souhaiter une vie qui ressemblerait à la mienne. J'ai été et je suis encore une femme heureuse. »

Tiré du journal de Jeanne, écrit à la fin de juillet 2005.

Tout à son enthousiasme suscité par le récent déménagement et remplie de gratitude envers son père, sitôt installée confortablement dans la maison de son enfance, Mélanie joignit Thomas au téléphone pour l'inviter à venir partager le repas du dimanche soir, qui avait régulièrement été une réunion familiale du vivant de Jeanne. Ce n'était qu'un juste retour des choses, pensait la jeune femme tandis que ses deux enfants s'amusaient bruyamment dans la cour en attendant que la garderie ouvre officiellement ses portes. « Durant des années, maman nous a invités à partager le repas du dimanche soir, maintenant, c'est à moi de prendre la relève », avait-elle songé avec une pointe de nostalgie dans le cœur.

Mélanie avait donc saisi le téléphone, toute joyeuse, afin de joindre les siens tout en gardant un œil sur Marie-Jeanne et Jérémie qui batifolaient à n'en plus finir dans le carré de sable.

Sans hésiter, la jeune femme signala le numéro de chez Simone. Il lui semblait important d'inviter son père en premier lieu. Après tout, c'est à lui qu'elle devait de vivre ici. Ensuite, elle appellerait ses frères. Dans sa tête, elle imaginait déjà le menu.

Mais contre toute attente, Thomas déclina l'invitation.

— Je ne suis pas prêt, Mélanie. Donne-moi quelques semaines pour me faire à l'idée que désormais, quand j'irai à la maison, ce sera chez vous et non plus chez moi.

— Quelques semaines? Ben voyons donc! Es-tu en train de me dire que tu regrettes ta décision?

Comme en prononçant ces mots Mélanie avait laissé s'échapper une sorte de sanglot dans sa voix, Thomas sentit son cœur se serrer.

— Regretter ma décision? Jamais de la vie.

Thomas lança cette mise au point avec fougue pour que sa fille comprenne qu'elle n'y était pour rien dans cet état d'âme un peu obscur qui était présentement le sien.

— Cette maison te revenait, ajouta-t-il avec conviction. C'est toi qui en as besoin maintenant, pas moi. N'empêche que c'est tout un chambardement dans mes habitudes et que j'ai besoin d'un peu de temps pour m'y faire. C'est tout.

— Ouais… Mettons.

Malgré l'explication, Mélanie semblait hésitante.

— Sauf qu'en attendant, c'est moi qui suis déçue, expliqua-t-elle après un bref silence. Très déçue, tu sauras.

Sachant que son père avait toujours été touché par ses chagrins, Mélanie avait espéré le faire changer d'idée en parlant de sa déception avec un peu plus d'emphase que nécessaire. Malheureusement, Thomas ne l'entendit pas de la même oreille. Pire, il semblait même agressé par cette confession faite sur un ton larmoyant.

— S'il te plaît, Mélanie! Ne fais pas une tempête dans un verre d'eau avec ce que je viens de te dire. Ce n'est qu'une question de temps pour que j'aille chez toi avec plaisir. Essaie de comprendre.

Le ton était las, la voix, un brin cassante. Il n'en fallut pas plus pour que Mélanie, nettement plus soupe au lait que son frère jumeau, trouve là matière à s'emporter.

— Bon, les grands mots, maintenant! Je ne fais pas de tempête dans un verre d'eau, c'est toi qui... Oh! À quoi bon nous obstiner? Ça ne donnera rien d'autre que de nous mettre en colère l'un contre l'autre et c'est tout sauf ça que je voulais faire en t'invitant à souper. Je... Oublie tout ce que j'ai dit, d'accord? Quand tu te sentiras prêt à venir nous voir, tu me le feras savoir.

Mélanie raccrocha sur ces mots, sachant pertinemment que c'était un peu expéditif comme réaction, et pas tellement gentil, mais elle ne tenait pas du tout à ce que son père soit le témoin privilégié de ses larmes. Après tout, comme il venait si bien de le dire, ce n'était qu'un simple souper remis à plus tard.

Mais l'ondée s'était produite quand même et dès l'acoustique déposée, Mélanie se réfugia dans la salle d'eau pour cacher sa tristesse.

Le chagrin fut à la mesure de sa déception et ne dura finalement que le temps pour Mélanie de se moucher longuement et de se rafraîchir le visage à même l'eau du robinet.

On était alors au début du mois de juin. Depuis, son père téléphona quatre fois, en tout et pour tout, et uniquement pour prendre des nouvelles des enfants.

Par contre, il ne vint pas et n'invita pas les siens non plus.

Juillet était maintenant bien entamé et la situation stagnait. Jour après jour, Mélanie espérait un appel qui ne venait pas, ce qui entretenait chez elle une petite tristesse permanente. Pourtant, la garderie roulait à plein régime, tel qu'espéré. Elle avait même dû refuser des inscriptions et la liste d'attente ne cessait de s'allonger. Si ça n'avait été de son père, Mélanie aurait nagé en plein bonheur.

Mais il y avait son père.

— Je me demande bien ce que c'est, cette attitude-là, si ce n'est pas du regret ou de la rancune.

Assise à la table après le déjeuner, Mélanie réfléchissait à voix haute à l'intention de Maxime, son conjoint. Dans la pièce adjacente, Marie-Jeanne et Jérémie regardaient la télévision, privilège suprême que Mélanie n'accordait que le samedi matin, dans un geste purement égoïste afin de siroter son café en toute tranquillité.

— Regret peut-être, approuva Maxime. Un peu et même beaucoup, si je me fie à tout ce que tu m'as dit. Et je pourrais le comprendre. Mais comme je connais ton père, ce n'est sûrement pas de la rancune. De toute façon, pourquoi est-ce qu'il éprouverait de la rancune ?

— À cause de notre discussion au téléphone l'autre jour.

— Allons donc ! Tu ne crois pas que tu en mets un peu trop ? Ça fait des semaines que ça a eu lieu.

— Alors, qu'il en revienne ! Tu viens de le dire : ça fait des semaines !

Au fur et à mesure que les phrases s'alignaient, Mélanie sentait la colère la gagner. De sa mère, c'est elle qui avait hérité le caractère autoritaire, pour ne pas dire contrôlant à certains moments. De toute évidence, Mélanie aimait prendre les commandes, persuadée que si elle faisait elle-même les choses, celles-ci seraient bien faites. Dans le couple qu'elle formait depuis toujours avec Sébastien, son frère jumeau, c'était elle la personnalité dominante, ce que Sébastien avait toujours semblé accepter de bon gré. Lui, c'était la paix qu'il recherchait, d'abord et avant tout, et si de prendre les devants et les décisions faisait plaisir à sa sœur, alors, pourquoi pas ?

— Ce n'est pas en nous fuyant comme il le fait que papa va pouvoir s'habituer à la nouvelle situation, analysait présentement Mélanie, un œil sur le salon où elle voyait de dos ses deux enfants assis bien sagement devant l'écran de la télévision.

Puis elle ramena les yeux sur Maxime.

— Il va devoir finir par briser la glace, tu ne crois pas ?

— Là-dessus, je suis d'accord.

— Bon tu vois ! S'il a fait une erreur, ce n'est pas à

nous de payer les pots cassés. S'il regrette sa décision, il n'a pas à nous le faire sentir par son silence. C'est ridicule et enfantin comme comportement. Il aurait dû y penser, aussi, avant de nous offrir sa maison.

— Ce qu'il a probablement fait, crois-moi! intervint Maxime avec une certaine fougue teintée d'impatience. Ton père n'est pas un homme à agir sans réfléchir, sans soupeser les pour et les contre.

Mélanie échappa un long soupir contrarié.

— Je le sais bien. Sébastien a hérité de ce trait de caractère, d'ailleurs.

— Bon! Sébastien maintenant! Qu'est-ce que ton frère vient faire dans la discussion?

— Comme ça. De toute façon, j'avais l'intention de l'inviter, et Oliver aussi, pour le souper de demain.

D'un index nerveux, Mélanie jouait dans les miettes de pain tombées sur la nappe.

— Je m'y prends peut-être à la dernière minute, mais tant pis. Je lance la perche à nouveau. Et si papa refuse de la prendre, ça sera lui le pire. Moi, j'ai envie d'avoir ma famille avec moi, autour de ma table, comme maman le faisait dans le temps.

— Tu es bien certaine que...

— Oh non! Pas d'objections, s'il te plaît. J'ai assez attendu. Ma patience vient d'atteindre ses limites.

Tout en parlant, Mélanie s'était relevée. En accord avec ce qu'elle venait d'annoncer, elle se dirigeait déjà vers le téléphone posé sur une petite tablette en coin, au bout du comptoir.

Sachant qu'il ne servait à rien d'insister, Maxime se contenta de soupirer à son tour. Quand Mélanie avait quelque chose dans la tête, elle ne l'avait pas dans les pieds, comme le disait Jeanne en riant.

Le premier appel dura à peine quelques instants, Olivier acceptant l'invitation avec empressement.

— C'est curieux, ça! lança Mélanie en raccrochant tout en jetant une œillade par-dessus son épaule pour vérifier si Maxime l'écoutait. Pour une fois, Olivier ne travaille pas. Il n'a pas de rencontre prévue depuis des lustres et ses amis ne l'ont pas invité non plus. Il ne s'est même pas fait prier! Par contre, les garçons ne seront pas là. Ils sont chez leur mère. Tant pis.

Mélanie était revenue face au téléphone et elle commençait à signaler.

— Sébastien, maintenant.

Celui-ci, en revanche, se fit tirer l'oreille.

— Comment ça, non? Et catégoriquement, en plus! Tu ne t'entends pas parler, Sébas!

La jeune femme avait haussé le ton, comme souvent quand Sébastien ne faisait pas ou ne disait pas exactement comme elle l'aurait souhaité.

— Quoi? Non, ce n'est pas une raison valable. Il fait chaud pour tout le monde, imagine-toi donc.

Puis, changeant de tactique, elle ajouta sur un ton mielleux:

— S'il te plaît! Juste pour me faire plaisir... Allez, dis oui! Quoi? *Yes!*

Un vieux tic de Jeanne que de lancer des *yes* à tout

propos. Une manie que Mélanie était en train d'attraper, ce qui avait fait dire à Maxime, moqueur, que la maison devait y être pour quelque chose !

— D'accord, promis, on mange de bonne heure pour que tu puisses retourner auprès de grand-père avant la noirceur, conclut Mélanie avec, cette fois-ci, une bonne dose d'enthousiasme dans la voix.

Puis elle tourna un sourire radieux vers Maxime dès qu'elle eut raccroché.

— Voilà, c'est fait ! Olivier et Sébastien seront du repas demain soir. Et même si Sébas s'est fait un peu prier, ils avaient l'air ravis, tous les deux. Comme quoi mon idée n'est pas si folle que ça.

— Et ton père, lui ?

— Papa ?

Le sourire avait disparu, remplacé par une lueur d'hésitation.

— Bien sûr, il y a papa et Simone. Qu'est-ce que tu vas t'imaginer là ? Je ne les avais pas oubliés, ne crains pas !

Mélanie s'activait, empilait la vaisselle du déjeuner, la portait à l'évier. Puis elle revint à la table, replia les napperons sur eux-mêmes et se rendit les secouer au-dessus de la poubelle.

— Et je suis sincère en disant que j'espère qu'ils seront là, continua-t-elle de préciser tout en s'occupant du rangement. Je vais les appeler un peu plus tard, quand je serai certaine de ne pas les réveiller. Après tout, ils n'ont pas d'enfants, eux, pour les obliger à se lever à l'aube... Et maintenant, mes livres de recettes ! Je veux un bon repas, comme maman savait les faire ! Pendant ce temps-là, peux-tu voir aux enfants, s'il te plaît ?

Mélanie feignit de se passionner pour quelques recettes plus alléchantes les unes que les autres, alors qu'elle savait pertinemment qu'elle grillerait des steaks sur le barbecue. La viande serait accompagnée d'une salade à la crème et de pommes de terre au four. Un classique chez les Vaillancourt ! Elle attendait tout simplement que Maxime parte pour le parc avec les enfants pour prendre le téléphone et appeler son père. Elle ne voulait pas que son conjoint soit le témoin d'un appel qui risquait de tourner au vinaigre. Malgré l'espoir d'arriver à convaincre Thomas que le temps de briser la glace était peut-être venu, Mélanie avait quand même quelques doutes.

Et sa réaction à elle avait de fortes chances d'être véhémente si jamais son père refusait encore une fois son invitation.

Et pourquoi l'accepterait-il, puisqu'il n'avait pas, jusqu'à maintenant, manifesté la moindre intention de venir faire ne serait-ce qu'un tout petit tour pour voir les enfants ?

Le cœur battant la chamade, Mélanie signala le numéro et se heurta à une boîte vocale où la voix de Simone, toute pétillante, lui souhaitait le bonjour. Contrariée, Mélanie raccrocha brusquement sans écouter jusqu'au bout et sans laisser de message.

— Et en plus, il n'est même pas là, soupira-t-elle.

Dire que Mélanie était désappointée serait un

euphémisme. Elle était vraiment déçue, presque frustrée que le destin lui fasse faux bond ainsi. Elle avait tant espéré que la présence de Sébastien et Olivier suffirait à convaincre son père de se joindre à eux.

— Parce que c'est clair qu'il va devoir y avoir une première fois, qu'il le veuille ou pas, que ça lui fasse peur ou non. Et c'est ce que je lui aurais dit s'il avait encore une fois hésité à accepter mon invitation : « Papa, tu n'auras pas le choix de briser la glace. Alors, pourquoi pas demain soir ? »

Parlant à mi-voix, Mélanie avait l'air de quelqu'un qui répète un rôle, mimiques à l'appui.

— Que ça soit aujourd'hui ou la semaine prochaine, il va y avoir une première fois, ça c'est certain. Mais on dirait bien que ça ne sera pas aujourd'hui, soupira-t-elle en guise de conclusion tout en jetant un regard machinal vers le téléphone.

C'est ainsi que Maxime retrouva Mélanie un peu plus tard durant l'avant-midi, marmonnant et maugréant. Maussade, elle s'apprêtait à quitter la maison pour faire les emplettes.

— Oh là… Ça n'a pas marché comme tu l'espérais, n'est-ce pas ? Tu l'as d'inscrit sur le visage !

— Rajoutes-en pas, veux-tu ? C'est assez pénible comme ça. Oui, je suis déçue. Papa n'était même pas là. En fait, il n'y avait personne chez Simone et…

— Et comme on est samedi matin, enchaîna Maxime, lui coupant ainsi la parole, ça n'est pas trop surprenant ! À quoi t'attendais-tu, Mélanie ? Que ton père attende justement ton appel, assis à côté du téléphone en tapant du pied d'impatience ?

— Je déteste ça quand tu te moques de moi !

— Et moi, je déteste quand tu es de mauvaise foi ! Tu essaieras plus tard, c'est tout !

— On voit bien que ce n'est pas de ton père dont on parle, sinon tu...

— En effet ! coupa sèchement Maxime, on ne parle pas de mon père parce qu'il est mort, Mélanie ! Depuis bientôt six ans.

La jeune femme se mit à rougir violemment. Elle s'était laissé emporter par le feu de la discussion et les mots lui avaient échappé.

— Désolée, Maxime, murmura-t-elle. Je suis vraiment désolée. Ce n'est pas ce que je voulais dire. Je suis toute chamboulée par...

— Je le sais, va, que tu es bouleversée, mais je ne comprends pas pourquoi, rétorqua Maxime sur un ton plus conciliant. Il n'y a personne de malade, que je sache, personne de blessé. Tout ce que ton père réclame, c'est de le respecter là-dedans. De respecter ce que lui voit comme une période de transition. C'est tout. Après le cadeau royal qu'il t'a fait, il me semble que ça serait la moindre des choses que d'acquiescer à sa demande sans autre forme de discussion.

— Oui, mais...

— Il n'y a pas de *oui mais*, Mélanie. Arrête de t'en faire ! Arrête de trop vouloir en faire ! Quand Thomas sera prêt à revenir ici, tu vas le voir apparaître à la porte, j'en suis certain. Il n'attendra même pas d'avoir une invitation… Maintenant, si tu n'as rien d'autre à ajouter, je vais rejoindre les enfants dans la cour. Il fait une température splendide et j'ai envie d'être dehors. La journée est bien trop belle pour être de mauvaise humeur ou même déçu. Je le répète : si tu y tiens tant que ça, tu n'auras qu'à essayer d'appeler ton père plus tard. Par contre, si tu veux mon avis, moi, j'attendrais qu'il me fasse signe.

Mélanie ne répondit pas ; il n'y avait rien à ajouter.

Elle fit demi-tour pour se diriger vers la porte avant de la maison. Même si elle n'était plus certaine qu'elle inviterait son père à souper, il y avait quand même des courses à faire.

Le geste fut banal parce que routinier, mais en même temps il ramena un certain souvenir avec une telle netteté, une telle précision, que Mélanie en eut le souffle coupé.

Cette main qui se tendait vers la patère pour prendre le sac à dos, c'était la sienne, et pourtant, ce fut celle de Jeanne que Mélanie eut l'impression d'apercevoir.

Jeanne qui pendait invariablement son sac à main à un crochet de la patère dès qu'elle entrait dans la maison et qui l'y reprenait à l'instant où elle en ressortait.

Quand elle habitait ici, plus jeune, Mélanie n'avait jamais utilisé cette patère que son père n'avait pas cru bon emporter avec lui au moment de s'installer chez Simone. Adolescente et jeune femme, Mélanie, elle, préférait ranger ses choses personnelles dans sa chambre.

Ce n'était que depuis le déménagement qu'elle s'était mise à déposer sac et veste au crochet, comme sa mère le faisait, heureuse de pouvoir se libérer rapidement les mains pour s'occuper des enfants.

Les larmes lui montèrent aux yeux à l'instant où elle prit conscience que plus jamais Jeanne n'y accrocherait son sac.

Brusquement, sa mère lui manquait.

Après bientôt trois ans, Jeanne arrivait encore à lui manquer cruellement. Oh! Pas tout le temps ni même souvent. Parfois de longues journées, pour ne pas dire de longues semaines, pouvaient passer sans que Mélanie ressente de grande tristesse pour Jeanne. Que des souvenirs au quotidien, rappels d'une enfance heureuse. Puis, sans crier gare, comme ce matin, l'ennui refluait avec impétuosité jusqu'à faire venir les larmes. Lorsque cela se produisait, Mélanie en était bouleversée tout comme au premier jour du décès de sa mère.

La jeune femme jeta un bref coup d'œil par-dessus son épaule. Maxime n'était plus à la cuisine. D'où elle était, Mélanie pouvait l'apercevoir jouant au ballon dans la cour avec leurs deux bambins. Sans témoin, elle en profita pour renifler un bon coup. Ces quelques larmes lui firent du bien.

Puis Mélanie ébaucha un vague sourire à travers sa tristesse.

Avec Jeanne, la dispute, ou plutôt le malentendu avec Thomas, n'aurait jamais duré tout ce temps. Jeanne aurait eu tôt fait de rappeler tout son monde à l'ordre!

— Maman, elle, arrivait toujours à concilier les choses en les provoquant. Je ne sais pas comment elle faisait, mais elle finissait toujours par tout régler. Tandis que moi, j'ai l'impression de tout embrouiller en voulant bien faire.

Un long soupir scella cette constatation.

Puis elle partit pour l'épicerie, le cœur gros en pensant à sa mère et dépitée de voir que, finalement, dans son cas, provoquer les événements n'avait rien donné, sauf peut-être engendrer une dispute entre Maxime et elle. Chose certaine, demain, au souper, elle consulterait ses frères.

Pendant ce temps, Thomas, lui, filait sur l'autoroute 30 en direction des Cantons-de-l'Est, plus précisément en direction de Magog.

C'était une initiative de Simone que ce petit voyage improvisé à la dernière minute. À cause de la canicule qui persistait, elle avait tout planifié sans en parler à qui que ce soit.

— Vous avez une heure pour faire vos bagages, avait-elle annoncé au déjeuner, l'air tout ravi de sa bonne surprise. Un peu de brise marine va nous faire le plus grand bien. Ici, dans notre petite banlieue, avec les maisons cordées serré les unes à côté des autres, j'ai l'impression d'étouffer! Allez, jeune homme, avait-elle lancé en riant tout en tapotant la poitrine de Thomas d'un index décidé, quittez cet air morose! Vous allez voir que ça va nous faire un bien salutaire, s'aérer les esprits!

Thomas avait alors esquissé un sourire de politesse

que Simone avait tout de suite pris pour un assentiment.

C'est donc pour cette raison qu'en ce samedi matin idyllique, au lieu de siroter paresseusement son café assis dans le jardin des Germain et d'être confortablement installé sous les branches du vieux pommier, Thomas était casé à la place du passager et filait avec Simone et son père en direction du lac Memphrémagog pour trois jours de détente.

Comme s'il avait besoin de détente, lui qui ne faisait plus grand-chose de ses journées depuis le déménagement!

Le nez à la portière, Thomas faisait semblant d'être captivé par le paysage. Déjà que de ne pas conduire l'incommodait considérablement, alors qu'il avait longuement insisté pour prendre le volant, il était, en plus, assis à la place du passager même s'il avait revendiqué la banquette arrière. Pour cela aussi, il avait insisté en vain.

— Pourquoi prendre la place du passager alors que je vois si peu? avait argumenté Gustave. De toute façon, cette place te revient, Thomas, de plein droit.

Thomas retint un soupir d'impatience. Avec Jeanne, c'était toujours lui qui avait conduit l'auto, qu'ils soient seuls tous les deux ou en famille. Il y tenait! Thomas aimait conduire, l'avait toujours vu comme une détente, et Jeanne n'avait jamais cherché à le contredire sur le sujet. Avec Simone, c'était autre chose. Célibataire depuis toujours, elle avait l'habitude de tout gérer dans sa vie. De la conduite automobile à la tonte de la pelouse, du lavage des vêtements à celui du plancher, Simone faisait tout !

— Une façon comme une autre de me sentir à la retraite, lançait-elle joyeusement quand Thomas offrait de l'aider, alléguant qu'elle en faisait trop, et qu'elle l'éconduisait gentiment. Tout au long de ma vie, j'ai payé pour toutes ces choses-là. Les vêtements allaient chez le nettoyeur, le jardinier voyait au terrain, le traiteur préparait les repas et la femme de ménage faisait à peu près tout le reste. Maintenant que j'ai du temps à n'en savoir que faire, c'est moi qui accomplis ces tâches !

— Et moi, complétait malicieusement Gustave quand l'ordinaire de la maison était le sujet de conversation. Pour les repas, c'est moi qui suis de corvée ! Heureusement qu'il me reste ce petit plaisir-là, sinon les journées seraient longues et monotones, précisait l'ancien médecin de famille, aujourd'hui à la retraite et dont la vue, allant toujours baissant, lui interdisait une foule d'activités de détente.

— Et moi, alors ? arrivait parfois à glisser Thomas dans une conversation où il ne lui restait que fort peu de place pour les interventions. J'aimerais bien, moi aussi, faire quelque chose de mes dix doigts !

— Allons donc ! Tu n'es pas venu vivre avec nous pour qu'on te refile sournoisement les corvées ! Ça serait le comble !

— Mais tout de même ! J'aimerais bien participer à la vie commune. Ça me semblerait… comment dire ? Ça me semblerait plus normal. Non ?

— Ouais... Peut-être bien, après tout. Donne-moi le temps d'y penser. On va bien finir par trouver un domaine où tu pourras exercer tes talents.

Après deux mois de vie commune, Simone n'avait toujours pas trouvé, et Thomas, la plupart du temps, se voyait confier les courses de dernière minute ou acceptait, en désespoir de cause, un rôle de marmiton. Pour le reste, tout le reste, il n'était pas d'un grand secours.

— Profites-en! répétait à l'envi une Simone fort peu encline à accepter l'aide de qui que ce soit.

C'était dans sa nature de se débrouiller seule, et sa profession d'avocate l'avait confortée en ce sens.

— Il fait tellement beau cet été, oublie les corvées! Prends des photos, toi qui aimes tant ça! Va voir tes petits-enfants, emmène-les se promener, organise des pique-niques! Pour la maison, on verra à l'automne.

Mais ce n'était pas ce que Thomas voulait faire de sa vie pour l'instant. Il n'était pas d'humeur à faire de la photographie et encore moins à jouer les nounous avec des enfants, fussent-ils ses petits-enfants, alors qu'il essayait de toutes ses forces de se tailler une place nouvelle, une place différente où il se sentirait tout de même à l'aise. Parce que présentement, même s'il n'en avait parlé à personne, Thomas avait l'inconfortable impression d'être en visite, ou en voyage, et les voyages, pour lui, avaient toujours eu une fin.

Tout comme Jeanne, Thomas avait toujours apprécié rentrer chez lui quand le voyage était fini.

Mais voilà! Thomas Vaillancourt avait la désagréable

sensation de ne plus avoir de domicile fixe. Dans son vocabulaire personnel, l'expression *chez lui* n'existait plus. C'est pour cela qu'il se refusait le plaisir de visiter Mélanie et les enfants. Il ne serait pas de très agréable compagnie et il craignait que la nostalgie d'une époque bel et bien révolue ne vienne bouleverser à tout jamais ses intentions sincères de se faire un nid ailleurs.

Un léger ronflement venant de la banquette arrière lui fit fermer les yeux d'exaspération. C'était là un autre point avec lequel il n'arrivait pas à composer.

Aussi distingué et discret puisse-t-il être, Gustave ronflait comme une locomotive.

À un point tel que, certaines nuits, Thomas pouvait passer des heures et des heures sans fermer l'œil. Il n'osait se relever, par crainte de réveiller Simone, et il n'avait jamais été capable de dormir confortablement avec des bouchons dans les oreilles. De toute façon, le geste lui aurait paru dénué de la moindre politesse, lui qui, paraissait-il, ronflait tout aussi allègrement. Mais cette situation, aussi banale soit-elle, ne faisait qu'intensifier cette sensation de n'être chez lui nulle part. Certaines nuits, Thomas avait l'impression d'être un voyeur parachuté dans une vie qui n'était plus la sienne.

Et s'il n'y avait que les nuits !

Les habitudes, les gestes de la routine, les petites manies du quotidien étaient si différents de ce qu'il connaissait. Toute cette vie était si loin du confort qui avait été le sien.

Thomas n'arrivait pas à s'y faire.

Pourtant, il avait escompté que toutes ces différences, justement, finiraient par guérir totalement la douleur de l'absence, la lourdeur de l'ennui.

Avec Simone, il ne vivrait plus jamais seul, et à ses yeux, c'était déjà beaucoup.

N'avait-il pas dit à son ami Gilles que le décès de Jeanne lui avait fait comprendre qu'il n'était pas fait pour vivre en solitaire ? Et n'avait-il pas avoué, d'un même souffle, qu'il aimait Simone ?

Thomas était sincère quand il avait dit tout cela.

Mais voilà que maintenant, depuis qu'il partageait le quotidien de cette femme ouverte et généreuse, qui à certains égards ressemblait étrangement à Jeanne, Thomas avait tout remis en question : l'amour, la solitude, l'ennui, la vie commune, la famille, tout !

Peut-être bien, finalement, qu'une peine d'amour comme la sienne, ça ne se guérissait pas vraiment même si Armand, le père de Jeanne, lui avait proclamé le contraire.

— Vient alors ce matin où l'on constate, étonné, peut-être aussi un peu troublé, que la plaie s'est refermée, avait confié le vieil homme au matin de ce premier Noël sans Jeanne alors que les deux hommes s'étaient retrouvés dans la cuisine du grand manoir. Elle est encore sensible, bien sûr, mais pas tout le temps et pas de la même manière. Puis le temps continue de passer. Plus tard, beaucoup plus tard, on comprend enfin que la plaie s'est transformée en cicatrice. Une cicatrice suffisamment visible pour ne jamais l'oublier. Elle ne fait plus mal, mais elle reste là, visible, tiraillant de moins en moins souvent. C'est alors qu'on est guéri. Un deuil d'amour, une peine d'amour, crois-moi, Thomas, ça finit par guérir.

Et Thomas y avait cru. Il voulait tellement y croire.

Si Armand le disait, ça devait être vrai, non? Après tout, il savait de quoi il parlait puisqu'il était passé par là.

Puis Simone était entrée dans sa vie et il y avait eu comme une belle éclaircie dans son ciel sombre. Une échancrure dans les nuages.

Se pouvait-il qu'Armand ait eu raison?

Alors, Thomas avait espéré que cette embellie allait durer, que la trouée dans les nuages allait s'élargir et que, petit à petit, elle se transformerait en un beau ciel bleu. C'est pour cette raison qu'il avait décidé d'aller rejoindre Simone et son père. Pour avoir enfin une vie sous un ciel ensoleillé.

Une vie sous un ciel nouveau.

Malheureusement, il n'en était rien.

Quelques semaines à vivre aux côtés de Simone, et Thomas avait pris conscience qu'il y avait un fossé profond entre le fait d'avoir une douce amie avec qui partager sorties et moments tendres et la réalité d'avoir une compagne avec qui engager les moindres instants du quotidien.

Jamais Jeanne ne lui avait autant manqué que depuis qu'il avait quitté la maison qui avait été la leur durant tant d'années.

C'est pourquoi ce matin, alors qu'il était en route vers les Cantons-de-l'Est, Thomas entretenait certains doutes quant à la véracité des propos de son beau-père. Armand avait probablement dit la vérité quand il parlait de guérison parce que c'était ce que lui avait vécu, mais toute cette belle philosophie s'adressait-elle vraiment à Thomas ? Ce dernier l'ignorait.

Pourtant, il trouvait Simone fort jolie quand il la regardait à la dérobée.

Chapitre 4

« Je ne pourrais vivre sans ma famille. J'aime mon travail, bien sûr, mais ce n'est rien à côté de ce que je ressens pour mon Thomas et nos trois enfants. J'aimerais être croyante pour pouvoir dire merci à Dieu. Quand je suis heureuse, j'ai toujours envie de dire merci. »

Paroles tirées du journal de Jeanne.

L'invitation de Mélanie n'aurait pu mieux tomber : Olivier vivait un véritable passage à plat depuis quelque temps. Un imbroglio d'impressions disparates et de sentiments contradictoires alourdissait le cours de ses journées sans qu'il comprenne d'où lui venait cet accablement. En homme habituellement organisé, il avait la désagréable sensation d'avoir perdu tout contrôle sur son existence.

À commencer par certaines émotions qui refluaient de plus en plus souvent, serrant le cœur, donnant parfois des frissons à fleur de peau, chez lui que l'on qualifiait communément d'impassible !

De sa mère, Olivier n'avait jamais vraiment eu le sentiment d'avoir hérité de quoi que ce soit.

— Olivier ? C'est tout à fait le fils de son père, clamait d'ailleurs régulièrement Jeanne en riant.

Qu'ajouter à cela sinon qu'effectivement, Olivier et

Thomas s'étaient toujours très bien entendus ? Ils avaient sensiblement le même tempérament réservé et pondéré, travaillaient avec une semblable minutie et appréciaient pareillement autos, sports et bière une fois le travail fait et bien fait.

Par contre, quoi qu'il en dise, s'il y avait une chose dont Olivier avait hérité de sa mère, c'était indéniablement son sens de l'organisation.

Depuis qu'il était tout petit, Olivier aimait prévoir. Il préférait que les choses soient préparées à l'avance, les sorties, organisées à l'avance et tout le reste, décidé à l'avance. Pour ce faire, sa vie était orchestrée à la minute près. Il élaborait des horaires depuis qu'il savait écrire et s'y rapportait à la moindre occasion.

De la même manière que Jeanne tenait son journal, Olivier inscrivait tout dans son agenda. Remarques, pensées, rendez-vous, anniversaires, absolument tout était noté et parfois même souligné. N'avait-il pas, tout à l'heure, inscrit l'invitation de Mélanie à l'horaire du lendemain même s'il savait pertinemment qu'il ne l'oublierait pas ?

Sans être une véritable manie — en vacances, Olivier pouvait se montrer assez libéral advenant des imprévus et il allait même jusqu'à les provoquer... tant qu'ils restent dans le cadre de l'horaire établi depuis longtemps —, cette manière d'être était suffisamment présente pour en devenir agaçante et pour que ceux qui l'entourent y réagissent. Combien de fois Mélanie avait-elle tempêté contre son frère quand il reportait une rencontre ou refusait une invitation sous prétexte qu'il y avait autre chose d'inscrit à son horaire ? C'est ainsi qu'avec le temps, Olivier s'était mis à détester la plupart des imprévus ponctuant sa vie personnelle puisque sa vie professionnelle de médecin en était farcie. Au fil des années, c'était même devenu l'excuse usuelle pour tout expliquer. « Je n'ai pas le temps », déclarait-il en général, ce matin étant l'exception.

Pour une très rare fois, l'invitation de Mélanie, même arrivée à l'improviste, tombait à point. Il n'avait rien à faire de toute la fin de semaine !

En effet, depuis le réveil, la journée s'annonçait plutôt monotone. La clinique était fermée pour quelques jours pour cause de rénovations, il n'était pas de garde à l'hôpital, il n'y avait aucun patient alité qu'il aurait pu visiter, les quelques amis avec qui il jouait au golf à l'occasion étaient tous en vacances, alors que lui comptait prendre les siennes au mois d'août, et ses deux garçons étaient partis chez leur mère depuis la veille.

Il faisait trop chaud pour une randonnée à vélo, la lecture ne faisait pas partie de ses priorités, il n'était pas friand des baignades en tous genres et Thomas était absent.

Olivier avait poussé un véritable soupir de déception quand son père lui avait annoncé, d'une voix qui ne pétillait pas particulièrement d'enthousiasme, qu'il partait à l'instant pour les Cantons-de-l'Est avec Simone et Gustave.

— Un petit voyage-surprise organisé par Simone, avait-il expliqué. Je suis vraiment désolé, Olivier. Tu avais une excellente idée! Moi aussi, j'aurais bien aimé profiter de la belle température pour faire le grand ménage de nos deux autos.

En prononçant cette dernière phrase, Thomas avait baissé le ton comme s'il ne voulait pas être entendu.

— Je ne sais pas pour toi, avait-il ajouté après un long soupir, mais ma voiture aurait besoin d'un sérieux coup de torchon. On se reprend, d'accord? Je t'appelle dès que je suis de retour.

C'est en raccrochant, désappointé, qu'Olivier avait lâché cette longue expiration qui avait donné le ton à sa journée.

Lui qui, en règle générale, avait mille et une choses à faire qui ne sauraient souffrir le moindre délai, qui clamait haut et fort que le temps lui manquait toujours, il se retrouvait subitement devant une longue, une interminable journée, entièrement exempte de toute obligation, et il était incapable de décider ce qu'il allait en faire.

Ça ne lui ressemblait pas du tout.

Une fois les assiettes du souper de la veille placées dans le lave-vaisselle et les quelques morceaux de linge sale mis à laver, Olivier eut le réflexe d'ouvrir le réfrigérateur pour prendre une bière bien fraîche. Il savait que le geste était malsain, pour le moins prématuré. Après tout, il n'était que dix heures du matin. Le médecin en lui le savait, certes, mais l'homme désabusé qui traînait son ennui depuis le réveil estima les portées de cette envie puis approuva ce choix avec une certaine indulgence.

— Une fois n'est pas coutume, grommela-t-il en claquant la porte du réfrigérateur.

Alors, l'esprit en paix avec lui-même, Olivier passa dans la cour arrière de la maison. Malheureusement, il se heurta, là aussi, à une image de désolation.

Le parterre n'avait rien de très invitant.

Les branches du lilas offraient de lamentables grappes de fleurs fanées, les pivoines ployaient leurs tiges dégarnies jusqu'à effleurer la pelouse trop longue, le potager n'avait que ses touffes de ciboulette et de livèche pour rappeler qu'il fut un temps où il avait meilleure mine, et les crochets de fer forgé, qui oscillaient entre le noir luisant et le brun rouille et qui étaient installés tout au long de la clôture, attendaient impatiemment les paniers d'annuelles que Karine avait l'habitude d'y accrocher dès le mois de mai.

Mais comme Karine n'était plus là...

Debout sur la terrasse attenante à la maison, sous un soleil torride, Olivier promena un long regard navré sur la cour puis, bien campé sur ses jambes, il rejeta la tête vers l'arrière. Portant le goulot de la bouteille à ses lèvres, il avala d'un trait la moitié de sa bière, se disant, avec la meilleure volonté du monde, qu'il prendrait le temps de déguster son houblon et qu'après, il tondrait la pelouse. « Quoi de mieux qu'une bonne séance de jardinage pour occuper un beau samedi », conclut-il sarcastique, avec une pointe de dérision envers lui-même.

En effet, Olivier n'aimait pas particulièrement les travaux d'entretien.

Cette réflexion l'amena à penser à sa mère. Malgré ce que lui en pensait, Jeanne aurait été tout à fait d'accord avec l'idée de voir au terrain.

Olivier esquissa un vague sourire.

D'aussi loin qu'il puisse se rappeler, Jeanne avait toujours vu le monde végétal comme une panacée à tous les maux. Elle avait même tenté de l'intéresser à ses plantes alors qu'il était tout petit encore, voyant peut-être dans cette activité un antidote à toutes ses lamentations d'enfant où il se plaignait de s'ennuyer parce qu'il était seul pour jouer. En vain. Olivier était fait pour l'action, la vraie, tout comme son fils Julien d'ailleurs, et à ses yeux de gamin, le jardinage était une occupation nettement trop calme.

— C'est pour les grandes personnes, planter des fleurs, déclarait-il quand Jeanne voulait l'amener au jardin avec elle.

Même aujourd'hui, avec son regard d'adulte, Olivier voyait toujours le jardinage sous toutes ses formes comme une activité inintéressante parce que monotone et inconfortable, avec souvent, hélas! des résultats lents à constater. Dans le même ordre d'idées, Olivier n'avait jamais compris que Thomas, son père, ait pu préférer la recherche à toute autre spécialité médicale.

D'une gorgée, le jeune homme s'enfila le reste de sa bière et fit la grimace parce qu'elle n'était plus assez fraîche.

C'est qu'il faisait vraiment très chaud.

Puis son attention se reporta sur la pelouse trop longue

qui, malgré tout ce qu'il venait de penser, mériterait bien d'être tondue.

— Mais pas tout de suite, murmura Olivier en s'étirant. Pas sous ce soleil de plomb. Et l'an prochain, promis, je trouve quelqu'un pour s'en occuper.

Il retourna alors à la cuisine pour prendre une seconde bière et sans hésitation, il revint s'affaler dans une des chaises de parterre qui jonchait la terrasse.

Pour se retrouver aussitôt confronté au même terrain négligé.

Olivier soupira d'exaspération.

Quand Karine vivait encore ici, c'était elle qui voyait au terrain, aux plates-bandes, au potager, aux jardinières. Elle s'en occupait seule la plupart du temps, pour ne pas dire tout le temps, et si elle réclamait un peu d'aide à l'occasion, il n'était pas rare qu'Olivier se contente de plonger la main dans sa poche pour en ressortir suffisamment de billets pour que sa femme puisse s'offrir toute l'aide dont elle avait besoin. Mais Karine ne se plaignait pas de la chose. Elle aimait jardiner. En riant, elle avait toujours affirmé que si elle avait marié Olivier, c'était pour avoir les conseils de Jeanne gratuitement même si finalement, les deux femmes n'avaient jamais été vraiment très proches l'une de l'autre et que fort curieusement, c'est au moment où Jeanne avait commencé à être malade que Karine, elle, avait commencé à s'éloigner de lui.

Karine…

Olivier sentit son cœur se serrer. Bien sûr, par la force

des choses, il était devenu aujourd'hui un père plus disponible — il n'avait pas le choix de l'être —, mais il n'était pas un père plus heureux pour autant.

Ni un homme heureux.

Sa famille lui manquait. Sa tribu, comme il avait coutume de l'appeler affectueusement, n'existait plus comme lui aurait voulu qu'elle soit. Parce qu'on lui reprochait ses nombreuses absences et son manque de disponibilité, le quotidien de toute une famille avait été bouleversé, et pour cela, il en voulait à Karine même s'il continuait de l'aimer profondément.

Olivier ferma précipitamment les yeux sur une subite envie de pleurer.

Karine lui manquait encore terriblement et probablement qu'elle lui manquerait toujours. Après tout, elle était la mère de ses deux fils et la seule femme qu'il ait aimée.

La semaine dernière, quand Julien et Alexis étaient venus le rejoindre pour passer la semaine avec lui, Olivier avait appris qu'un certain André avait soupé avec eux le samedi précédent.

— Y' est super fin! avait clamé Alexis, qui à sept ans trouvait toujours matière à s'emballer devant une nouveauté.

— Ben moi, je le sais pas encore, si je vais l'aimer, avait bougonné Julien, nettement plus réticent.

À bientôt neuf ans, un seul souper ne suffisait pas pour porter un jugement valable sur celui que leur mère avait présenté, toute souriante, comme étant un bon ami.

Olivier, lui, avait vivement détourné la tête pour que

ses fils ne puissent lire l'immense déception qui lui étreignait le cœur.

Les derniers vestiges d'un infime espoir venaient de mourir. Si Karine commençait à regarder ailleurs...

Cette dernière pensée fut largement suffisante pour anéantir tout désir de se rendre utile, et c'est en ressassant sa tristesse et les raisons qui avaient mené au fiasco qu'était sa vie présente qu'Olivier passa une bonne partie de ce samedi assis sur sa terrasse, à ruminer pensées sombres et déceptions.

Dommage que Karine n'ait pas compris ce que voulait dire le mot *médecin* parce qu'à l'origine, ils avaient tout pour être heureux.

Car Olivier n'en démordait pas : tous les problèmes entre Karine et lui découlaient de cette incompréhension. S'il n'avait pas été aussi disponible que Karine l'aurait souhaité, s'il s'absentait plus souvent que tout ce qu'elle était capable de supporter, ce n'était pas par mauvaise volonté ni par manque d'attachement envers sa famille. C'était uniquement parce qu'il était médecin, et à ses yeux, un médecin se doit d'être présent pour ses patients, nuit et jour.

Et cela, Karine n'avait jamais voulu l'admettre.

À quatorze heures, il n'y avait plus une seule bière dans le réfrigérateur ni même dans toute la maison.

Et la pelouse n'était toujours pas tondue.

Olivier se leva pesamment, la tête lourde et les pensées de moins en moins cohérentes mais toujours aussi sombres.

Il se dirigea vers l'étage et monta l'escalier en se tenant à la rampe.

Une bonne douche froide et une petite sieste lui remettraient les esprits en place. Et après, promis, il s'occuperait de la pelouse !

Heureusement, demain il y aurait ce souper chez Mélanie. Son dimanche devrait donc être un peu moins désolant que ce samedi lamentable. Olivier avait encore assez de présence d'esprit pour pouvoir en être conscient.

Sébastien était déjà arrivé quand, le lendemain en fin d'après-midi, Olivier se présenta chez sa sœur, fripé par ses excès de la veille, pas particulièrement fier de lui et donc pas de très bonne humeur. Il aurait surtout aimé que les garçons soient avec lui, les soupers en famille étant plus que rares depuis le décès de sa mère, mais sur ce point Karine était d'une intransigeance implacable.

— Si on s'en tient à nos semaines de garde et à nos semaines de vacances, tel qu'on l'a décidé ensemble aujourd'hui, avait-elle déclaré devant l'avocat lors de la médiation, ça va éviter les tensions et les disputes. Il y en a eu suffisamment comme ça jusqu'à maintenant, tu ne crois pas ?

Comme l'avocat était d'accord, et même entièrement d'accord avec ce principe, Olivier n'avait pas argumenté. Mais pour une fois, pour cette fois-ci en particulier, il aurait accepté une certaine souplesse, une certaine marge de manœuvre permettant les imprévus, lui qui les détestait tant. Pour voir ses fils, il aurait été prêt à bien des compromis si Karine avait manifesté un tant soit peu d'ouverture. Mais le dialogue entre eux s'était étiolé avec le temps, et désormais, il appartenait au passé. Alors, non, Olivier n'avait pas insisté. Karine avait raison sur ce point : il y avait eu suffisamment de disputes entre eux.

C'est pourquoi, aujourd'hui, il n'avait même pas pensé à téléphoner chez Karine. À quoi bon perdre son temps et ses énergies et risquer de blesser les enfants si jamais ils étaient témoins de l'appel ?

Sans qu'il ait demandé quoi que ce soit, Olivier se retrouva avec une bière dans la main, assis sur la terrasse, sous l'auvent. D'où il était, il entendait Mélanie dans la cuisine qui s'affairait aux derniers préparatifs du repas en compagnie de Maxime.

— Deux minutes, Olivier ! Donne-nous deux minutes et on te rejoint.

Sur la pelouse, Sébastien s'amusait avec Marie-Jeanne et Jérémie. Sébastien avait toujours aimé les enfants et il avait toujours été à l'aise avec eux. Pourtant, en ce moment, Olivier avait l'intuition que le cœur n'y était pas. Les rires de son frère semblaient moins spontanés et ses cris étaient moins bruyants qu'à l'habitude.

Cette réflexion faite, Olivier se désintéressa de Sébastien. Entre eux, il n'y avait jamais eu plus qu'une relation familiale imposée par le simple fait qu'ils étaient frères. Pour le reste, tout le reste, leurs intérêts réciproques allaient dans des directions opposées. Rien, jusqu'à maintenant, n'aurait pu laisser croire qu'un jour, proche ou lointain, ils finiraient par se comprendre et apprécieraient la compagnie l'un de l'autre.

Olivier regarda autour de lui.

Il n'y avait pas à dire, Mélanie avait su garder l'ambiance que Jeanne avait insufflée à son jardin. Les plantes étaient luxuriantes, la pelouse, irréprochable et les rosiers, toujours aussi odorants. Même le bac à sable et les balançoires colorées avaient trouvé une place harmonieuse dans cet aménagement impeccable.

Rien à voir avec sa propre cour!

Olivier en fut agacé. Il aurait dû prévoir, aussi! Il savait qu'il avait toujours détesté l'entretien du terrain et au lieu de vouloir se prouver Dieu seul sait quoi, il aurait dû engager quelqu'un pour s'en occuper à sa place.

Peut-être n'était-il pas trop tard?

Olivier prit note mentalement d'ajouter un pense-bête à son agenda du lendemain dès qu'il rentrerait chez lui, car, pour une fois, il n'avait pas jugé bon d'emporter le petit sac de cuir noir où il rangeait l'essentiel de ses objets personnels. Incluant son agenda. Il en avait tout simplement extrait son portefeuille estimant que pour un souper chez sa sœur, cela devrait suffire. Il s'était trompé, puisque présentement il aurait voulu y ajouter une petite note concernant l'entretien de son terrain. Cette décision aussi l'agaça. Comme Mélanie arrivait justement avec quelques amuse-gueules, elle interrompit sa réflexion, et devant quelques canapés bien garnis, Olivier en oublia de se faire les habituels reproches qu'il s'adressait lorsqu'il estimait avoir fait une erreur.

— À table, tout le monde! Je ne sais pas si vous êtes comme moi, mais je suis affamée!

L'ambiance du repas fut décontractée et agréable, et il fallut attendre jusqu'au moment du café pour que les trois Vaillancourt aient la chance de se retrouver enfin seuls, ce que souhaitait Mélanie depuis le début de cette journée où elle avait bien l'intention de s'entretenir de leur père avec ses frères. En effet, au courant des intentions de sa compagne, et même s'il n'était pas nécessairement d'accord avec elle, Maxime venait de manifester l'intention de s'éclipser avec les deux enfants.

— Reste avec tes frères, Mélanie. Je m'occupe de préparer ces deux petits diables-là pour la nuit.

— Alors, venez me faire un bizou, exigea Sébastien en ouvrant tout grand les bras. Il y a de fortes chances que je sois parti quand vous allez redescendre.

— Pourquoi ? Tu restes pas encore un peu ?

Marie-Jeanne ouvrait de grands yeux tristes.

— Je dois partir, ma belle. Grand-papa Armand a besoin de moi. Mais promis, on va se reprendre.

La soirée s'annonçait parfaite. Le soleil planait encore au-dessus de la haie de cèdres et il avait conservé certaines chaleurs de la journée. Mélanie tenta alors le tout pour le tout.

— Dommage que tu doives partir aussi vite, déclarat-elle d'une voix à la fois déçue et remplie d'attente, espérant ainsi faire fléchir son frère et l'amener à changer d'avis.

Il n'en fut rien. Sébastien se contenta d'un léger haussement d'épaules contrarié avant de rétorquer un peu sèchement.

— C'est comme ça, Mélanie.

Il y avait dans la voix de Sébastien une dureté inhabituelle qu'Olivier remarqua aussitôt. Par réflexe, il tendit l'oreille.

— Je te l'ai dit hier matin, quand j'ai accepté ton invitation, poursuivit Sébastien en s'adressant à sa sœur toujours sur le même ton. Je venais souper, oui, mais je quittais aussitôt après. Pour l'instant, c'est grand-papa qui a la priorité dans ma vie. Lui et personne d'autre !

— On dirait que ça te dérange, ne put s'empêcher d'observer Olivier.

— Jamais de la vie ! répliqua vivement Sébastien en tournant la tête vers son frère. Qu'est-ce que tu vas t'imaginer là ? Armand Lévesque est l'homme le plus merveilleux que je connaisse. C'est un plaisir de m'occuper de lui. Vraiment. Pour le peu qu'il demande, de toute façon... Non, c'est le fait qu'on insiste pour me faire changer d'idée qui m'agace.

— C'est généreux de ta part, constata alors Olivier qui savait fort bien que ce n'était pas tous les jours facile de s'occuper d'une personne âgée.

Sébastien haussa les épaules une seconde fois, mais avec une certaine insouciance cette fois-ci.

— Même pas. C'est un juste équilibre des choses entre lui et moi. C'est tout. Je crois important de...

— Et si au lieu de parler de notre grand-père nous parlions de notre père ? suggéra Mélanie, interrompant cavalièrement Sébastien.

Les deux frères tournèrent la tête en même temps vers elle.

— Papa? Pourquoi aurions-nous à parler de papa? D'ailleurs, comment se fait-il qu'il ne soit pas ici, avec nous?

De toute évidence, la question de Sébastien s'adressait à Mélanie, mais avant qu'elle ait pu ouvrir la bouche pour répondre, Olivier s'interposa en précisant:

— Il est parti en voyage.

Mélanie délaissa aussitôt Sébastien pour se tourner vers Olivier, les sourcils froncés sur sa curiosité. Comment se faisait-il qu'il soit au courant de cela, lui? Existait-il un lien particulier entre Olivier et leur père?

— En voyage? Papa est en voyage et il ne me l'a pas dit?

Olivier leva les yeux au ciel avant de répondre.

— Voyons donc, Mélanie! Pourquoi papa aurait-il besoin de te dire qu'il s'absente? Il n'est plus un enfant et il n'est pas encore un vieillard sénile! Est-ce qu'il doit te demander la permission chaque fois qu'il veut sortir?

— Tu le savais bien, toi!

— Je l'ai attrapé au vol, au moment où il partait. C'est tout. Ce n'est qu'un petit séjour décidé à la dernière minute.

— Et alors?

Mélanie s'entêtait.

— Moi, si je décide de quitter la ville pour quelques jours, argumenta-t-elle, je vais avoir le réflexe de l'appeler pour qu'il ne s'inquiète pas.

— Vu de même...

— Vu de n'importe quelle façon, Olivier, il me semble

que c'est une simple question de respect. On est une famille, non ?

Le mot *famille* fit tiquer Olivier qui recula sur sa chaise sans répondre. Mélanie en profita pour poursuivre sur sa lancée.

— Ça rejoint un peu ce dont je voulais vous parler... Laissez-moi vous raconter et tu partiras après, Sébas ! Je le vois bien que tu t'impatientes, alors je ne serai pas longue.

Et Mélanie d'expliquer les réticences de Thomas à venir la visiter. Réticences qu'elle avait acceptées dans un premier temps, bien sûr, mais comme le malaise semblait vouloir perdurer... En toute simplicité, Mélanie termina en avouant que cette attitude la blessait.

— ... et je trouve qu'il exagère. Il va bien falloir qu'il se décide à briser la glace un jour ou l'autre, non ?

— Oui, admit alors Olivier avec une certaine circonspection. C'est évident qu'il va devoir revenir ici un jour. Personne ne va dire le contraire. Mais je ne comprends pas où tu veux en venir avec tout ça.

— Il me semble que c'est clair, non ?

— Non, justement.

Mélanie savait fort bien qu'une discussion avec Olivier risquait de s'éterniser. Quand il se mettait à argumenter, son frère était difficile à battre, et elle risquait de s'emporter contre lui. C'est pourquoi, au lieu de s'engager sur cette voie avec Olivier, Mélanie se tourna pour consulter Sébastien du regard. Habituellement, son jumeau disait comme elle à défaut de penser comme elle. Mais cette fois-ci, elle ne trouva, dans le regard que Sébastien lui renvoya, qu'une apparente indifférence au débat. Alors, elle demanda :

— Et toi, qu'est-ce que tu en penses ?

— Moi ? Ai-je seulement besoin d'y penser ?

— Bien voyons donc !

— À mon tour de te demander à quoi tu penses exactement. Où veux-tu en venir en nous parlant de papa comme tu le fais ?

— J'espérais seulement que vous m'aideriez.

— T'aider à quoi ? À obliger papa à venir ici s'il n'en a pas encore envie ?

— Un peu, oui.

— Ça n'a aucun sens. Chose certaine, moi, je ne m'en mêle pas. Quand papa voudra venir ici, il va le faire. Il te l'a dit lui-même : il n'est pas encore prêt à voir cette maison comme étant la tienne.

— Alors, il avait juste à ne pas me la donner.

— T'entends-tu parler, Mélanie ? Non seulement ça n'a aucun sens, mais en plus, c'est terriblement égoïste, ce que tu dis là. On dirait une gamine boudeuse.

C'était probablement la première fois de toute leur vie que Sébastien osait apostropher sa sœur sur ce ton. Bien sûr, il y avait déjà eu des discussions entre eux, parfois virulentes, et même des disputes les opposant farouchement. Aujourd'hui, cependant, le ton était différent. Mais avant que Mélanie ait pu demander la moindre explication, Olivier s'immisça dans la conversation.

— Pour une fois, je suis d'accord avec Sébastien. Laisse papa tranquille.

À ces mots, Mélanie bondit sur sa chaise.

— Laisse papa tranquille ? Tu n'y vas pas avec le dos de la cuillère !

— Peut-être, mais je n'ai pas envie de mettre des gants blancs. C'est tout un changement que notre père est en train de vivre.

Brusquement, Olivier eut l'impression que le divorce que lui-même traversait ressemblait un peu à ce que son père devait apprivoiser. Tous ces changements, ces adaptations à faire, ces différences à accepter avant d'être capable de les gérer. Les mots lui venaient donc spontanément, à lui qui, de coutume, était plutôt réservé quand venait le temps d'exprimer ses émotions. D'une main impatiente, il fit signe à Mélanie de ne pas l'interrompre.

— Papa a toujours été un homme discret, expliqua-t-il d'une voix pressante par crainte que les mots ne se fassent capricieux et qu'il n'ait pas le temps de tout exprimer ce qu'il ressentait. Si papa a choisi de vivre cette étape de vie seul face à lui-même, c'est son droit le plus strict. Dans un certain sens, ça ressemble à ce qu'il a vécu avec maman. Même s'ils donnaient l'image d'un couple uni, même s'ils ont toujours été un couple uni, devrais-je plutôt dire, ce qui se vivait entre eux a toujours été teinté de discrétion.

— Et nous dans tout ça ? réussit enfin à glisser Mélanie qui comprenait fort bien tout ce que son frère aîné était en train de dire sans nécessairement être entièrement d'accord avec lui. Nous, Olivier ?

La voix de Mélanie était chargée d'une tristesse qu'Olivier ne comprenait pas vraiment.

— Nous ? Nous sommes ses enfants, Mélanie, expliqua-t-il en détachant les mots comme s'il parlait à une jeune enfant. Nous sommes les personnes sur terre qui ont probablement le plus d'importance pour lui depuis le décès de maman.

— C'est ce qui devrait être, oui, approuva Mélanie sur un ton songeur.

— Tu as des doutes ?

— Comment faire autrement ? ajouta-t-elle sur un long soupir. Si on a de l'importance, comme tu viens de l'affirmer avec une belle conviction que je t'envie, pourquoi nous boycotter ? Pourquoi refuser notre présence ? De la manière dont papa me parle depuis son déménagement, j'ai l'impression que le fait de vivre avec Simone est en train de l'éloigner de nous.

— Sottises !

Olivier était vraiment choqué par les propos de sa sœur. Il avait maintes fois parlé à Thomas durant les dernières semaines et jamais il n'avait senti le moindre changement dans son attitude.

— Qu'est-ce que tu vas penser là ? Papa tient à nous. Je ne comprends pas que tu puisses en douter ne serait-ce qu'une seconde. Par contre, si nous sommes ses enfants, nous ne sommes plus des enfants, Mélanie. Tu devrais agir en adulte au lieu de lui en vouloir.

Piquée par cette dernière remarque, Mélanie lança un regard noir vers son frère.

— Et qu'est-ce que je devrais faire, selon toi, pour agir en adulte ?

— Tu acceptes son point de vue et tu attends. Et si jamais tu t'ennuyais trop de lui, tu fais les premiers pas.

Mélanie leva les bras en signe d'exaspération.

— Mais c'est exactement ce que j'essaie de faire ! Je l'appelle, je l'invite, je lui dis que je veux le voir… Rien à faire ! Et si j'ajoutais, malgré tout ce que je viens d'expliquer, si j'ajoutais que je sens que papa a besoin de nous ?

— Si papa avait vraiment besoin de nous, il le ferait savoir, ne crains pas. Tu n'as rien à provoquer. Et actuellement, malgré ce que tu en penses, tu ne fais pas les premiers pas non plus. Pas du tout ! Ce que tu fais présentement, c'est obliger papa à les faire, ces premiers pas. Briser la glace, comme tu le dis si bien. Ce n'est pas du tout pareil.

Mélanie avait l'impression de tourner en rond, comme trop souvent quand elle discutait avec Olivier. En désespoir de cause, elle tenta de trouver un peu de réconfort du côté de Sébastien et elle détourna les yeux vers lui. Malheureusement, ce dernier n'avait qu'un regard navré à lui offrir. De toute évidence, il partageait le point de vue d'Olivier.

— Et selon vous, demanda alors Mélanie, ramenant vivement son attention sur son verre de vin qu'elle se mit à tourner nerveusement entre ses doigts, qu'est-ce que je devrais faire ?

Levant les yeux, Mélanie promena son regard d'Olivier à Sébastien.

— Et ne me répétez surtout pas d'attendre, indiqua-t-elle, j'en ai assez. Je m'ennuie de papa. Il me semble que c'est légitime, non ?

— Tout à fait !

Enfin quelque chose de positif ! Mélanie redressa les épaules en esquissant un sourire qu'elle adressa à Sébastien.

— Alors, qu'est-ce que je fais ?

— Tu te présentes à sa porte, c'est aussi simple que cela, intervint Olivier.

Le sourire de Mélanie disparut comme balayé par la légère brise qui était en train de se lever.

— Chez Simone ?

— Pourquoi pas ? Chez Simone, c'est aussi chez papa maintenant. Il ne faudrait pas l'oublier. Exactement comme la maison ici est devenue la tienne.

Devant cette remarque pertinente, faite par Sébastien qui s'était interposé dans la discussion, Mélanie se sentit rougir jusqu'à la racine des cheveux et elle retint la réponse qui lui montait spontanément aux lèvres. Sébastien, à des lieues des émotions de sa sœur, était en train de repousser sa chaise.

— Bon, maintenant que tout ça est dit, constata-t-il, je dois partir.

Sébastien était déjà debout. Il s'approcha de Mélanie et mit spontanément les deux mains sur ses épaules pour les masser gentiment.

— Arrête de t'en faire avec ça! Papa sait ce qui est bon pour lui, et nous, nous allons essayer de lui faire confiance, d'accord?

— D'accord, consentit Mélanie d'une voix hésitante.

Cela ne l'empêcha pas de tourner les yeux vers Olivier pour lui demander:

— Et si c'est toi qui l'invitais, Oli? Comme ça, papa ne serait pas obligé de venir ici et ça permettrait d'avoir un...

— Je t'arrête tout de suite!

Olivier aussi était en train de se lever de table.

— Premièrement, je ne suis pas celui qui a le plus de talent pour les réceptions et tu le sais! Deuxièmement, mon terrain s'en va à vau-l'eau! Pas question d'organiser le moindre petit pique-nique chez moi. Plus tard dans l'été, je ne dis pas, mais pas pour l'instant... On vient de te le dire, Mélanie: laisse passer encore un peu de temps. Maintenant, tu vas m'excuser, mais je dois partir, moi aussi. Demain je travaille et j'ai une journée plutôt chargée!

En disant ces derniers mots, Olivier avait l'air soulagé.

En moins de temps qu'il n'en faut pour le dire, les deux frères partirent sur de vagues promesses de se revoir bientôt. Mélanie entendit leurs voix qui s'estompaient sur le côté de la maison. Il y eut un rire, suivi du claquement de deux portières sur fond de moteur qui gronde.

Quand le bruit des pots d'échappement eut disparu

au coin de la rue, la jeune femme poussa un long soupir de déception.

Un autre coup d'épée dans l'eau !

Le pire, c'est que Maxime l'avait prévenue.

Mélanie retint les larmes qu'elle sentait monter. Elle renifla un bon coup, espérant ainsi refouler sa déconvenue.

Pourtant, ce n'était pas simplement un caprice de sa part, cet entêtement à vouloir inviter son père. Malgré les apparences qui jouaient contre elle, Mélanie était persuadée que Thomas avait besoin de ses enfants, mais pour une raison qui lui échappait, il n'osait aller vers eux. Il y avait dans la voix de son père, quand elle lui parlait, une tristesse qui n'aurait jamais dû y être. De cela, Mélanie était convaincue.

La jeune femme sentit son cœur se serrer. Tout ce qu'elle voulait, au fond, c'était le meilleur pour tous, mais de toute évidence, personne ne l'avait compris. Pas plus Maxime que ses frères. Comme s'ils étaient indifférents à la situation.

Mélanie se releva avec lassitude et commença à empiler la vaisselle sale qui traînait encore sur la table.

Sa plus grande crainte était en train de se réaliser: quand les cloches avaient sonné aux funérailles de Jeanne, c'était le glas de leur vie familiale qui avait sonné en même temps.

Ce soir, Mélanie était persuadée d'en avoir eu la preuve.

Chapitre 5

« Après, Thomas, quand je ne serai plus là, il faut que tu continues sur ce chemin qui est le tien... Tu es unique, Thomas, comme je le suis, et ce que tu vis présentement n'appartient qu'à toi, tout comme ce que je vis présentement n'appartient qu'à moi. Pourtant, Dieu sait que nous nous aimons!

... C'est devant qu'il faut regarder, pas derrière. Alors, si pour être vraiment heureux tu as besoin d'une autre compagne, vas-y! Ton existence continue et tu as le droit de la vivre selon tes choix et tes priorités. Je n'aurais jamais pu te dire ces mots les yeux dans les yeux, ils auraient été faux. Maintenant que tu les lis, maintenant que je ne suis plus là, ils sont vrais. Fais comme moi: suis le cerf-volant qui est le tien. Sois heureux, Thomas... »

Passage du journal de Jeanne, écrit au soir du 19 août 2005 alors que Thomas et elle venaient de fêter 36 ans de mariage.

L e cœur battant la chamade, le visage en sueur, Thomas se réveilla en sursaut.

Il venait de rêver de Jeanne. Un de ces rêves tellement vrais qu'on doit prendre un moment pour s'ajuster à la réalité quand on s'éveille.

Aussitôt qu'il reconnut la chambre où il était, qu'il

entendit le souffle régulier de celle qui dormait à ses côtés, la déception s'emmêla au réveil, puisque Jeanne n'était pas là, et les larmes succédèrent à la sueur pour inonder son visage.

Sans faire le moindre bruit, étouffant ses sanglots derrière son poing, Thomas quitta la pièce.

La cuisine où il se réfugia en fermant soigneusement la porte lui sembla hostile. Cette grande pièce au design moderne, au carrelage gris et noir qui luisait faiblement dans la pénombre, ne savait rien de sa douleur, de son désarroi. Ici, Thomas Vaillancourt n'avait pas eu le temps de fabriquer quelques souvenirs qui auraient su le réconforter.

Ici, Thomas n'était encore qu'un étranger. Peut-être n'était-il, en fait, qu'un simple visiteur, un invité de passage.

Il ne le savait pas, ne le savait plus.

Thomas se servit un grand verre d'eau et s'installa à la table, face à la porte vitrée qui donnait sur le jardin.

La nuit était claire, la lune, presque pleine, et les aiguilles phosphorescentes de la cuisinière indiquaient qu'il n'était que deux heures et demie.

Thomas tenta de consoler son cœur déçu à coup de petites gorgées d'eau fraîche. Ce fut long, et si les larmes finirent par tarir, le cœur, lui, resta en lambeaux.

Pourquoi ce rêve si réel où main dans la main, il courait avec Jeanne dans un champ immense?

Un champ de lavande comme il en avait admiré en Provence.

Peut-être gardait-il, bien malgré lui, caché au creux

des émotions, ce regret sincère qu'il avait connu en découvrant un si beau coin du monde sans sa Jeanne ?

Peut-être.

Or, dans son rêve, au début, il n'y avait pas eu de place pour les regrets, il n'y en avait eu que pour le bonheur.

L'espace d'un rêve un peu trop vrai, Thomas avait été heureux comme il savait si bien l'être jadis.

Tout en courant à côté de lui, Jeanne riait comme une enfant, et lui riait de l'entendre rire. Puis brusquement, Jeanne s'était mise à courir de plus en plus vite, tellement vite que Thomas n'avait pu la suivre. Ses jambes étaient subitement devenues de plomb. Il avait alors lâché sa main. Il avait voulu crier pour lui demander de l'attendre, mais aucun son n'était sorti de ses lèvres. Il avait la gorge trop serrée. C'est tout juste s'il arrivait à respirer. Alors, les larmes s'étaient mises à couler et au même instant, il avait pris conscience que le bleu du ciel s'était caché derrière un amoncellement de nuages grisâtres et menaçants. Il s'était réveillé au moment où Jeanne n'était plus qu'un petit point dansant sur la ligne d'horizon mauve et or.

La pluie s'était mise à tomber, et d'où il était, Thomas avait l'impression que Jeanne volait en direction des nuages.

Thomas ferma les yeux pour fixer à tout jamais cette image de Jeanne volant sur l'horizon d'un immense champ de lavande. S'il avait réellement fait ce voyage avec elle, peut-être bien que cette image serait un vrai souvenir parce qu'elle aurait vraiment existé. C'était du Jeanne tout craché de vouloir courir à perdre haleine dans un champ de lavande.

En faisant attention aux plants, bien entendu !

Thomas esquissa un sourire nostalgique, à la fois triste et ému.

S'il avait été chez lui, cette nuit, et qu'il avait fait ce même rêve, il se serait spontanément réfugié dans la serre, là où les murs de verre, les plantes odorantes et les meubles d'osier parlaient encore de Jeanne.

Il s'y serait peut-être senti moins seul.

Un long frisson secoua les épaules de Thomas parce que ces quelques évocations rappelaient une réalité qui n'existait plus. Brusquement, cela lui fit mal, plus que tout ce qu'il avait pu ressentir depuis son déménagement.

Il ne pouvait plus parler de « chez lui ». Pour être honnête, dorénavant, il devrait dire chez Mélanie. Cette grande maison de pierres ne lui appartenait plus, il ne devait pas l'oublier.

Un acte notarié en faisait foi.

Du plat des deux mains, Thomas se frotta longuement le visage.

S'il avait su que la transition allait être aussi pénible, aussi éprouvante, il y aurait pensé à deux fois avant de céder la maison à sa fille. Il aurait pu trouver une autre solution pour l'aider, et lui, il aurait gardé son port d'attache.

Car depuis son départ de la maison qui avait abrité

ses amours avec Jeanne, c'est exactement comme cela que Thomas se sentait : un petit bouchon ballotté au gré des courants.

Pourquoi ? Pourquoi se sentait-il aussi démuni, mal à l'aise, malheureux ? Simone était une femme merveilleuse de générosité, une compagne agréable, et Gustave, un homme charmant. Nul doute, Thomas appréciait leur compagnie et même plus.

Alors, pourquoi cette déchirure en lui qui laissait fuir toutes les chances de bonheur ? Comme s'il n'y avait plus droit...

Incapable de se résoudre à monter se recoucher, sachant qu'il ne se rendormirait jamais, Thomas assista, de longues heures plus tard, à un lever du jour spectaculaire, l'incandescence du soleil rejoignant l'intensité de ses émotions. Encore une fois, s'il avait été dans son ancienne maison, il aurait pu se précipiter à l'étage pour chercher son appareil photo et ainsi immortaliser le moment. Ici, il risquait de réveiller toute la maisonnée.

Et comme il n'était pas prêt à faire la conversation à qui que ce soit...

Thomas attendit que le soleil se soit bien installé entre les deux maisons voisines pour préparer, le plus silencieusement possible, un plein pot de café très fort.

À elle seule, l'odeur intense qui envahit la cuisine aurait suffi à réveiller tout le monde. Heureusement, la porte était toujours fermée. Thomas sortit alors la plus grande tasse qu'il put trouver dans l'armoire et y versa une longue rasade de café fumant. Ce matin, il le prendrait noir comme Jeanne le faisait quand elle avait besoin de ce qu'elle appelait un petit coup de fouet. Puis, Thomas s'évada vers le jardin.

Le banc sous le pommier semblait n'attendre que lui, et la compagnie des oiseaux était la seule qu'il avait envie de tolérer.

Une fois assis, Thomas ferma les yeux, espérant que la chaleur qu'il ressentait sur ses épaules réussirait à faire renaître le début du rêve, au moment où tout n'était que sérénité sous un grand soleil d'été. Mais la clarté du jour avait emporté les détails du rêve, sa précision. Seule l'image d'un point dansant sur l'horizon lui était restée, accompagnée d'une sensation d'étouffement quand il avait essayé de crier et qu'aucun son n'avait franchi ses lèvres.

Thomas ouvrit précipitamment les yeux. Il venait de saisir, plus par intuition qu'autre chose, que s'il ne voulait pas mourir étouffé, il devait prendre du recul. Voilà peut-être le sens profond de ce rêve qui l'avait laissé aussi pantelant. Il devait essayer de comprendre pourquoi il n'arrivait pas à reprendre sa vie en mains comme il l'avait tant espéré. Pourtant, il avait tous les atouts dans son jeu pour arriver à se rebâtir une existence belle et bonne, mais chaque fois qu'il pensait trouver un certain équilibre, chaque fois qu'il tendait la main pour toucher au bonheur, il avait l'impression que le but qu'il s'était fixé s'éloignait de lui inexorablement. Comme si une partie de son âme ne s'était pas suffisamment affranchie du passé et que tant qu'il y reviendrait sans cesse, par réflexe ou par besoin, la vie, sa vie n'aurait pas de sens.

Comme s'il ne méritait plus d'être heureux.

À cette pensée, Thomas tressaillit.

Encore...

Cela faisait deux fois en quelques heures à peine qu'il avait la sensation presque physique de ne plus avoir droit au bonheur.

Pourquoi?

Était-ce pour cela qu'il se refusait le plaisir de voir ses enfants et ses petits-enfants? Pour se punir?

— Ridicule, murmura-t-il en s'essuyant la bouche du revers de la main.

Malgré cette dernière constatation, il avait l'impression un peu confuse que c'était là tout ce qu'il méritait. Des bribes de bonheur, ce que d'aucuns appellent des petites joies. Il n'aurait droit, désormais, qu'à une vie rapiécée qui menacerait de se déchirer à tout moment. Il ne fallait surtout pas tirer sur les coutures, car elles étaient très fragiles.

Il avait encore le cœur fragile, si fragile.

Alors, comment aimer pleinement Simone si Jeanne était toujours aussi présente et si lui n'était pas aussi disponible qu'il se plaisait à le croire?

Avait-il suffi d'un simple rêve pour tout reconsidérer de sa décision, alors qu'il croyait sincèrement que sa guérison n'était qu'une question de temps, de perspective et d'un peu de bonne volonté?

Thomas regarda autour de lui et en son for intérieur,

il dut admettre qu'il aurait souhaité, là, en cet instant bien précis, être n'importe où au monde sauf dans ce jardin un peu étriqué mais dont Simone était si fière.

Quand il entra enfin, un vieux fond de café refroidi à la main, le soleil était déjà haut dans le ciel, et Thomas pensait avoir trouvé un semblant de solution. À tout le moins, il osait croire que ce faisant, il ne blesserait ni Simone ni son père.

Ne restait plus qu'à convaincre Olivier.

À l'étage, l'eau glougloutait dans les tuyaux.

Bientôt, il ne serait plus seul à la cuisine.

Un peu plus tard dans la journée, alors qu'il se retrouvait encore une fois désœuvré, Thomas utilisa le prétexte du nettoyage des autos pour joindre son fils au téléphone.

Il savait que la proposition de se rencontrer pour une telle activité devrait être suffisamment séduisante pour un mordu de l'automobile comme Olivier.

— On n'attire pas des mouches avec du vinaigre, grommela-t-il en signalant le numéro de son fils aîné.

Comme de raison, Olivier sembla emballé.

— Samedi prochain ? Parfait ! Comme je vais avoir les garçons, qu'est-ce que tu dirais de venir chez nous ?

— Chez vous ? Bonne idée.

— À la bonne heure ! Je te demande seulement de regarder le terrain avec indulgence. Ce n'est pas moi qui ai hérité du pouce vert de maman.

— Je ne suis guère mieux, consola Thomas, heureux de voir que sa suggestion était retenue. Alors, promis, je ne passerai aucune remarque. J'arrive assez tôt. Mon auto est dans un état lamentable! Toi aussi? On a du pain sur la planche, alors! On se voit samedi. Bonne semaine!

La semaine de Thomas fut longue d'attente et d'espoir, et c'est avec une certaine fébrilité qu'il accueillit enfin le réveil du samedi.

Après des jours et des jours de soleil omniprésent, ce matin, les nuages étaient au rendez-vous. Néanmoins, si le ciel conciliait les anthracites et les blancs, il faisait toujours aussi chaud. Alors, Thomas ne s'arrêta pas à ce léger détail. Tant qu'il ne pleuvait pas...

— Je reviens en fin de journée, Simone. Ne m'attends pas avant.

Thomas quitta la maison en sifflotant, ce qui ne lui était pas arrivé depuis fort longtemps.

Olivier, qui était équipé comme pas un pour la mécanique, avait sorti l'artillerie lourde : jet à pression, savons, détergents et autres cires, torchons et chamois, chaudières et balayeuse, sans oublier deux jeunes garnements, promus *helpers* pour la journée et qui trépignaient d'impatience.

— Grand-papa!

Thomas n'eut que le temps de s'accroupir avant de recevoir tout contre lui deux petits bolides lancés à fond de train. Le cœur battant la chamade, il se demanda, tout surpris, comment il avait pu se passer d'eux durant tout ce temps.

Et de façon tout à fait délibérée, en plus.

Serait-il l'artisan de sa propre peine ? Et si oui, pour quelle obscure raison agirait-il ainsi ?

Le temps de serrer ses petits-fils dans ses bras, d'ébouriffer affectueusement leurs tignasses emmêlées et Thomas se releva, tourmenté par ce qu'il ressentait.

Qui donc était-il devenu ?

Imperceptiblement, il secoua la tête, comme s'il était en contradiction avec lui-même, avant de prendre une longue inspiration. Ce n'était ni le temps ni l'endroit pour faire un examen de conscience. Une fraction de seconde pour reprendre une certaine contenance et Thomas se tourna enfin vers Olivier tout en gardant un regard attendri sur ses petits-fils.

— Qui veut m'aider ? demanda-t-il en faisant un clin d'œil à Olivier.

— Moi !

— Moi !

— Alors, on va se répartir les tâches !

Brusquement, Thomas avait l'impression de remonter dans le temps. Combien de fois, au fil des années, avait-il lavé les autos de la famille en compagnie de ses fils ? Une sensation de bien-être l'envahit aussitôt.

— Julien, ordonna-t-il joyeusement, va me chercher un grand sac pour les ordures et vide-moi cette auto. Les papiers, les vieux journaux, les gobelets de café vides... Toi, Alexis, remplis une chaudière avec de l'eau tiède et un peu de détergent. Tu vas faire un premier lavage des pneus !

Cette première partie de la journée se déroula dans

les rires, les éclaboussures et les fausses menaces.

— Attention ! Je vais t'arroser !

Puis les enfants se lassèrent de ce travail qui, d'une chose à l'autre, était devenu tatillon au fur et à mesure des exigences de Thomas et d'Olivier.

— Si on fait quelque chose, on le fait bien, jeune homme.

— Mais quand même ! C'est long, papa !

Julien en avait assez de toujours frotter le même enjoliveur de roue.

— Alors, termine ce que tu as commencé, je veux que ça brille, et après, tu iras jouer ailleurs.

Les gamins ne se le firent pas dire deux fois. Le repas du midi vite expédié, ils filèrent rejoindre des amis.

Thomas et Olivier se retrouvèrent donc seuls à fourbir énergiquement leurs autos. En silence, comme ils le faisaient la plupart du temps. Olivier avait mis un disque d'Oliver Jones et la musique leur parvenait depuis le salon par une des fenêtres grandes ouvertes.

Thomas apprécia cette accalmie et le manifesta par un long soupir de contentement. Il était bien. Bien grâce à cette musique qu'il aimait, bien avec la présence de son fils, bien parce qu'il pouvait s'activer, lui que l'on gardait plutôt inactif depuis ces dernières semaines. « La lecture au coin du feu, pensa-t-il en ronchonnant mentalement, c'est bon pour les vieilles dames... Ou ça l'était pour Jeanne en novembre quand le temps était maussade. »

En accord avec le rêve de l'autre nuit, cette pensée

aurait dû l'attrister. Pourtant, il n'en fut rien. Bien au contraire! C'était là un souvenir qui, comme tout le reste aujourd'hui, le rassérénait.

Thomas leva subrepticement les yeux. À quelques pas, Olivier s'affairait en chantonnant. Thomas se dit alors que cette présence devait faire toute la différence pour lui. En ce moment, d'être chez Olivier, c'était un peu comme s'il était de retour chez lui.

Thomas leva les yeux sur le bâtiment de style colonial, en briques rougeâtres. Cette maison, il avait aidé à la construire et ensuite, il avait accepté le contrat d'en peinturer les murs en compagnie de Jeanne. C'est pourquoi, en ce moment, Thomas avait un peu l'impression d'être rentré à la maison, et cela lui faisait un bien fou.

Il se pencha sur le capot de son auto et recommença à le polir avec un entrain renouvelé, conforté dans cette décision qu'il avait prise l'autre matin. Tantôt, plus tard, quand le travail serait terminé, il parlerait à Olivier.

De son côté, sans dire un mot, tout au long de l'avant-midi, Olivier avait partagé les mêmes souvenirs que son père. Tous ces samedis d'été à frotter leurs autos ne pouvaient s'oublier, et il se doutait bien que Thomas aussi avait dû faire son propre voyage dans le temps.

Sur ce point, les années s'étaient toutes ressemblé, même à son adolescence. Pour voir aux autos, pour les réparer ou les bichonner, il n'y avait pas eu de période creuse entre son père et lui. C'est à cela qu'Olivier avait pensé durant la matinée tout en lavant son auto, à tous ces bons moments qu'il avait vécus en compagnie de son père, espérant qu'il en serait de même avec Julien et Alexis au fil des années. Ce matin était peut-être le premier d'une longue série où ses fils, à leur tour, se fabriqueraient de beaux souvenirs.

Du coin de l'œil, Olivier observa Thomas.

Son père avait beaucoup vieilli depuis le décès de Jeanne. Ses cheveux avaient blanchi et des rides s'étaient creusées, imprimant un sillon d'amertume à la commissure de ses lèvres. Heureusement, en contrepartie, Thomas avait beaucoup ri durant sa vie, et les quelques rides de sourire, déjà gravées depuis longtemps avant le décès, continuaient de souligner malicieusement le coin de ses yeux.

Par contre, Olivier n'aurait su dire si son père était heureux. Bien sûr, ce matin, celui-ci avait parlé et ri, expliqué et taquiné, comme le Thomas d'autrefois l'aurait fait. Mais était-il heureux pour autant? Jusqu'à aujourd'hui, Olivier l'avait cru même si Mélanie, elle, en doutait. Thomas avait tourné une page importante en décidant de vivre avec Simone, mais Olivier jugeait que son père avait fait le bon choix. Simone était une femme charmante et Thomas n'était pas fait pour vivre seul.

Mais au-delà d'une telle constatation, Thomas était-il vraiment heureux? Curieusement, en ce moment, Olivier n'en était plus aussi certain. Peut-être à cause de certains rires qui avaient semblé forcés, plus tôt ce matin, ou encore à cause de certaines remarques qui semblaient amères, Olivier se surprenait à douter, à son tour.

Et si Mélanie avait raison?

Leur père avait-il vraiment besoin d'eux, mais ne savait comment l'exprimer? C'est ce que croyait Mélanie. Après tout, pourquoi pas? Peut-être bien, oui, que l'harmonie avec Simone n'était pas à la hauteur des attentes de son père qui ne savait comment le formuler.

Peut-être.

Peut-être aussi que ça allait beaucoup plus loin et qu'il regrettait amèrement sa décision, donnant ainsi raison à Mélanie.

Et si Thomas se sentait coincé dans une situation qu'il ne trouvait pas à son goût, saurait-il en parler?

Là encore, un énorme *peut-être* brilla sur l'écran de sa pensée.

Dans la famille, c'était Jeanne qui parlait et discutait, qui allait spontanément au creux des événements et des émotions, pas son père.

Olivier détestait ne pas savoir, mais il détestait tout autant avoir à demander des explications. Surtout à Thomas avec qui il n'avait, pour ainsi dire, jamais parlé d'émotions, de sentiments, de toutes ces choses importantes de la vie dont il ne parlait jamais, finalement. Karine le lui avait suffisamment reproché.

Olivier Vaillancourt vivait caché au fond d'une carapace, comme une tortue, et le jeune homme était suffisamment honnête pour ne jamais avoir contredit cette affirmation. Alors, si son père avait besoin de se confier, il serait certainement mieux servi avec Mélanie ou Sébastien.

En soupirant, Olivier lança la guenille qu'il avait à la

main dans la grosse chaudière rouge qui le suivait depuis le matin tandis que le moulin de ses réflexions continuait de tourner à plein régime.

Mais peut-être aussi qu'il se trompait du tout au tout et que ce visage un peu triste, un peu désabusé, un peu bourru, bref, assurément moins joyeux, serait désormais celui de son père.

Qu'il soit heureux ou pas.

Olivier secoua énergiquement la tête. Après tout, de quoi se mêlait-il ? Thomas n'était pas un de ses patients. Il était son père, et jusqu'à ce jour, Olivier lui avait toujours fait confiance.

— Tu veux une bière ? proposa-t-il, espérant ainsi mettre un terme à la bousculade de ses pensées.

— Pas de refus.

Thomas avait répondu sans lever les yeux. Malgré cela, Olivier eut l'impression que le bras qui frottait le faisait un peu plus vite. Comme si Thomas y mettait un curieux acharnement.

Haussant les épaules, Olivier regagna la cuisine. Il devait se faire des illusions occasionnées par un surplus de fatigue. Il avait beaucoup travaillé cette semaine.

Et toutes ses autres spéculations, celles qu'il additionnait bien malgré lui depuis la dernière heure, devaient être de la même eau !

Olivier décapsula les deux bouteilles avec une certaine impatience dans le geste.

Mélanie devait l'avoir contaminé !

Mais de là à savoir si c'était une bonne chose…

Le travail se termina dans un silence pareil au précédent, soutenu par Joe Cocker, cette fois-ci, Olivier
s'étant souvenu que son père l'appréciait particulièrement.

Puis une fois le matériel rangé, il proposa une autre
bière, en réponse à ce réflexe familial, instauré par
Thomas lui-même quand les enfants avaient été en âge
de consommer de l'alcool, de prendre un verre quand le
travail était fini.

— Sur la terrasse, précisa Olivier quand il vit son père
se tirer une chaise à la cuisine. Si tu veux bien excuser
l'état lamentable du terrain, il me semble qu'on y serait
mieux. L'humidité est à couper au couteau aujourd'hui.

Un haussement d'épaules fut l'unique réponse de
Thomas.

Effectivement, Olivier n'avait pas exagéré en disant
que la cour ne payait pas de mine. Les fleurs mortes
n'avaient toujours pas été ramassées et la pelouse
négligée avait profité de la dernière semaine pour avoir
une belle poussée de croissance. Encore quelques jours
de plus et Olivier pourrait presque faire les foins.

Le jeune homme se laissa tomber sur une chaise en
soupirant, visiblement agacé par ce qu'il voyait comme
une grande négligence de sa part tandis que Thomas sai-
sissait au bond ce long soupir et se l'appropriait pour
diriger la conversation.

Depuis le temps qu'il préparait cet instant !

— Pas facile de s'ajuster, hein, mon gars ?

Thomas regardait autour de lui tout en parlant, ce qui

amena Olivier à lui répondre dans le même sens.

— Non, ce n'est pas facile. C'est maintenant que je m'aperçois de tout ce que Karine faisait.

Il y eut un bref silence entre les deux hommes.

— Je ne parlais pas seulement de l'entretien du terrain, murmura alors Thomas, le regard perdu au fond de la bouteille brunâtre à moitié vide.

— Ah...

Un autre silence se posa sur la terrasse, un peu plus lourd cette fois-ci. Quand Thomas reprit, sa voix était rauque d'émotion retenue.

— Ne fais pas celui qui ne comprend pas, Olivier. Je sais fort bien que tu as tout compris même si ta réponse était plutôt sibylline.

— C'est vrai. J'avais fort bien compris ce que tu voulais dire. Mais tu me connais, n'est-ce pas ? Moi et les mots...

— Ça doit être de ma faute. Moi non plus, je ne suis pas très loquace et ta mère a toujours dit qu'on se ressemblait, toi et moi. J'admets que je trouve difficile parfois de trouver les bons mots et de les dire au bon moment. Il n'y avait qu'avec ta mère que je le faisais spontanément.

— Tout le monde parlait spontanément avec maman, approuva vivement Olivier.

Devant cette réalité soulignée avec autant de sincérité, Thomas leva un franc sourire vers son fils.

— C'est vrai, n'est-ce pas ?

— Oh oui... Avec elle, nos secrets ne l'étaient jamais

très longtemps. Elle avait le chic pour nous aider à tout déballer.

— Et quand on parlait avec elle, ça faisait du bien, ajouta Thomas avec conviction. Là, spécifia-t-il en se pointant le cœur.

À ces mots, Olivier se rembrunit.

— Par les temps qui courent, il n'y a pas grand-chose qui me réchauffe le cœur. À part mes garçons et mon travail, il…

— C'est déjà beaucoup, tu ne trouves pas ? interrompit Thomas d'une voix douce qui sembla surprendre Olivier.

— C'est vrai, admit-il sur le même ton sans chercher à insister, fuyant même le regard de Thomas, visiblement mal à l'aise.

Prenant une longue inspiration, devant le silence de son père qui perdurait, Olivier ajouta cependant :

— J'en demande peut-être trop à la vie.

— On ne demande jamais trop à la vie, Olivier, répliqua Thomas, très sérieusement, en regardant droit devant lui.

Puis, tournant la tête vers Olivier, il ajouta :

— Par contre, c'est peut-être à nous de l'aider à trouver les réponses.

Olivier esquissa un bref sourire.

— Ça, c'est une réponse comme maman aurait eue.

— Tu trouves ?

— Tout à fait.

— Alors, merci.

Tout à coup, Thomas avait l'air plus détendu. De toute

évidence, il prenait la remarque de son fils comme un compliment. Un compliment qui lui faisait plaisir même s'il n'était pas plus souriant pour autant.

— Ça fait du bien à entendre...Tu ne sais pas comment.

Aussitôt qu'il entendit ces mots, Olivier eut l'intuition qu'il savait comment interpréter ces dernières paroles de son père. Il avait l'impression qu'en lui, le médecin et le fils se complétaient fort bien en ce moment.

— Toi aussi, tu trouves ça encore dur, n'est-ce pas ? questionna-t-il sans la moindre hésitation, un peu comme il l'aurait fait avec un patient.

— Plus que je ne l'aurais jamais cru possible, avoua simplement Thomas sans chercher le moindre faux-fuyant.

— Avec Simone ? osa demander Olivier.

— Même pas. C'est avec moi-même que j'ai des problèmes, confessa Thomas en soupirant bruyamment. Je ne saurais dire pourquoi, mais j'ai l'impression d'avoir besoin d'un certain recul. Un moment en tête-à-tête avec moi-même pour tenter de comprendre ce qui m'arrive... Je... J'ai tout pour être heureux et je ne le suis pas. Le pire, c'est que je ne sais pas pourquoi.

Ainsi donc, Mélanie avait vu juste.

Olivier oublia alors le médecin qui dictait bien des choses dans sa vie et laissa le fils prendre toute la place. Il retint son souffle par crainte que le moindre geste, le plus infime mouvement pousse son père à se taire, lui qui habituellement ne s'ouvrait pas beaucoup aux autres. Olivier sentait qu'il vivait présentent un moment privilégié. De ceux qui ne passent pas souvent dans une vie.

— Aux durs moments de notre vie, il faut savoir demander de l'aide, précisa alors Thomas, dans un murmure.

Il se rappelait une certaine nuit où le désespoir l'avait amené à considérer la mort comme une solution acceptable à sa trop grande détresse.

Cette nuit-là, avant de commettre l'irréparable, il avait frappé à la porte de ses amis Marc et Josée. Aujourd'hui, en désespoir de cause, il est venu frapper à celle de son fils Olivier.

— C'est un peu ce que je fais aujourd'hui, avoua-t-il la voix nouée, en continuité avec ses pensées. Je demande de l'aide. J'ai besoin de prendre du temps pour moi.

Olivier ne voyant pas exactement où son père voulait en venir, suggéra :

— Qu'est-ce qui te retient ? Offre-toi un voyage. Rappelle-toi celui que tu as fait en Provence. Au retour, tu n'étais plus tout à fait le même et tu as dit toi-même que ça t'avait fait du bien.

— Je sais. Moi aussi, j'y ai pensé.

— Alors ?

— Si je parle d'un voyage comme celui-là, Simone va vouloir venir. Et si Simone est là, son père y sera, lui aussi. Et c'est correct qu'il en soit comme ça, ajouta précipitamment Thomas pour que les choses soient claires aux yeux d'Olivier. Je comprends. Mais ce n'est pas ce dont j'ai besoin.

— Alors, dis-lui. Tout simplement.

Thomas hocha lentement la tête.

— Non, je ne peux pas. Je sais que ça chagrinerait Simone et ce n'est pas du tout ce que j'ai l'intention de faire... Par contre...

Thomas hésita.

— Par contre, reprit-il, si l'idée venait de toi, il me semble que ça passerait mieux.

— De moi ?

De toute évidence, Olivier était surpris.

— Oui, de toi !

Tout à coup, Thomas s'emballait. Il s'était redressé sur sa chaise et avait déposé sa bouteille vide sur la table. Puis il tourna son regard et son espoir vers son fils.

— Tu dois prendre des vacances bientôt, non ? Tu pourrais avoir envie d'un voyage et comme tu es seul, tu pourrais avoir pensé à moi pour...

— Mais papa, interrompit vivement Olivier avant que son père n'aille plus loin, mes vacances, c'est avec mes deux garçons que je vais les prendre.

Aussitôt prononcés, ces quelques mots blessèrent profondément Thomas. Non à cause de ce qu'ils exprimaient en soi, mais bien parce que lui, il avait oublié Julien et Alexis dans son beau projet.

Comment se faisait-il qu'il n'ait pas pensé à eux ? Bien sûr qu'Olivier allait prendre ses vacances avec ses fils ! Comment Thomas avait-il pu envisager la chose autrement ?

Un bref frisson secoua les épaules de celui qui brusquement ressembla vraiment à un vieillard. Comme si les rides venaient subitement de se creuser un peu plus.

Mais quelle sorte d'homme était-il en train de devenir? Amer et égoïste? Tellement centré sur lui-même et ses pitoyables états d'âme qu'il ne voyait plus le monde autour de lui?

Un mouvement de colère lui fit contracter les mâchoires. Il détourna la tête pour ne pas avoir à affronter le regard d'Olivier.

— C'est bête, mais je n'avais pas pensé à tes deux garçons, avoua-t-il bien simplement. Je m'en veux, tu ne sais pas comment.

— Allons donc! C'est presque normal!

Curieusement, Olivier, lui, ne semblait pas offusqué. Au contraire, il prenait visiblement la situation avec un grain de sel.

— Ça fait longtemps que tu n'as pas eu à prévoir quelque chose en fonction de la présence d'enfants qui vivent avec toi, analysa-t-il. C'est tout! Mais l'un n'empêche pas l'autre, par contre.

— Qu'est-ce que tu veux dire?

— Pourquoi ne viendrais-tu pas avec nous?

Maintenant, c'est Olivier qui s'enthousiasmait. La perspective de ne pas être le seul adulte lors de cette randonnée qu'il projetait faire avec ses fils n'était pas pour lui déplaire.

— On fait une tournée des jardins zoologiques du Québec, imagine-toi donc! expliqua-t-il joyeusement, espérant ainsi convaincre Thomas de les accompagner. C'est une demande qui a été moult fois répétée par Julien et Alexis depuis le début de l'été. Alors, je me suis dit : pourquoi pas ? En même temps, ça leur ferait connaître la province. Saint-Félicien au Lac-Saint-Jean, les Cantons-de-l'Est en se rendant à Granby et finalement la ville de Québec, qu'ils n'ont jamais visitée. Qu'est-ce que tu en penses ?

— C'est une bonne idée.

Pourtant, ce voyage n'avait rien à voir avec ce que Thomas avait projeté, lui qui n'avait que l'Europe dans sa mire. Devant le débordement d'enthousiasme d'Olivier, il eut brusquement l'impression d'être pris à son propre piège.

— Une excellente idée, répéta-t-il, simulant un entrain qu'il était loin de ressentir.

Il avait dû donner le change, car Olivier demanda aussitôt :

— Comme ça, tu viendrais avec nous ?

Thomas entendit sans difficulté la bonne dose de soulagement qu'il y avait dans la voix de son fils. C'est pourquoi, malgré la déception qui lui étreignait le cœur, il s'entendit répondre :

— Pourquoi pas ? Me donnes-tu quelques jours pour y penser ?

— Toute la semaine si tu veux ! Appelle-moi quand tu auras décidé... C'est les garçons qui seraient contents !

« C'est les garçons qui seraient contents ! »

Tout au long des boulevards le ramenant chez Simone,

ce furent ces quelques mots qui tourbillonnèrent sans relâche dans la tête de Thomas, comme un mantra qui lui montrait le chemin à suivre.

Quand il tourna dans l'entrée, Thomas avait déjà sa réponse.

— Et pourquoi pas ? murmura-t-il en éteignant le moteur. On verra bien ce que ça va donner !

Néanmoins, dès qu'il entra dans la maison, Thomas se dépêcha de téléphoner chez Olivier pour rapidement lui faire part de sa décision : ne sait-on jamais, peut-être aurait-il eu envie de changer d'idée au courant de la semaine.

Chapitre 6

« Ce soir-là quand tout le monde est parti, j'ai longue-ment pleuré sur cette page de vie qui était en train de tourner.

Combien de deuils aurais-je encore à pleurer comme ça ? »

Tiré du journal de Jeanne, écrit quelques mois avant son décès.

L e bras levé bien haut au-dessus de sa tête, Simone salua avec entrain les joyeux passagers de l'auto qui s'éloignait. Accoudé à la portière de l'auto, Thomas lui répondit d'un geste identique, par la fenêtre qu'il avait gardée entrouverte.

Il était au volant puisqu'il avait gagné au tirage à pile ou face, une formule qu'Olivier avait proposée comme ultime solution à leur entêtement réciproque.

— Super! avait spontanément lancé Thomas en voyant pirouetter la tête de la reine Elizabeth sur le pavé de l'entrée. J'ai gagné! C'est très bien comme ça, je déteste me faire conduire.

Même involontaire, le message n'aurait pu être plus explicite, et Simone, témoin de la scène, s'était juré d'en tenir compte à l'avenir tandis qu'à côté d'elle, Olivier s'était mis à ronchonner.

— Moi aussi, je déteste me faire conduire! Tu le sais!

— Alors ?

— Alors, on change de place aux deux cents kilomètres, d'accord ?

— D'accord, avait concédé Thomas, beau joueur, sans même prendre le temps de réfléchir.

« Tel père, tel fils », s'était alors dit Simone, amusée, prenant conscience qu'au fond, elle connaissait bien peu les enfants de Thomas.

Puis les deux hommes avaient rapidement pris congé, bousculés par le temps et l'impatience de deux gamins qui ne tenaient plus en place.

Simone avait gardé le bras levé jusqu'à ce que l'auto d'Olivier ait tourné le coin de la rue. Puis, les épaules secouées par un long frisson, elle avait frileusement croisé les pans de son chandail sur sa poitrine et elle avait regagné la maison à pas rapides.

À peine le début du mois d'août entamé et l'été semblait déjà fini !

En conclusion, la belle saison n'aurait duré que le temps de deux longues canicules. Une en mai et une autre en juillet. Une saison si bien partie, pourtant, qui avait été brusquement emportée, un certain mercredi soir, par un orage torrentiel ayant balayé la province d'ouest en est. Un orage titanesque qui avait déraciné des arbres centenaires, arraché des fils électriques et, par ses averses de grêle, dans certaines régions, ravagé des dizaines de champs prêts pour les récoltes. Cet orage mémorable n'avait laissé sur son passage que désolation et désarroi.

Dès le lendemain, la température avait déjà chuté de plusieurs degrés, pavant ainsi la voie à un automne qui risquait d'être un peu long.

— Voilà, papa, c'est fait, annonça Simone en entrant dans la maison. Ils sont partis.

La vision de Gustave Germain avait beaucoup perdu en acuité depuis quelques mois, et malgré certains traitements réguliers, plutôt désagréables, il n'y voyait presque plus, sinon une image floue et sans intérêt, délavée, qui déformait tout ce qui l'entourait. Pour compenser, Simone expliquait et racontait encore plus qu'auparavant. Elle décrivait dans le détail et analysait de façon pointue, à l'intention du vieil homme, ce qu'elle-même voyait.

— L'auto d'Olivier n'est pas très grande, commenta-t-elle. Une Toyota Corolla, je crois bien. Gris foncé avec un toit ouvrant. Laisse-moi te dire que les deux enfants étaient plutôt coincés à l'arrière avec les bagages nécessaires pour un voyage de deux semaines.

— Ils auraient dû prendre la camionnette de Thomas.

À ces mots, Simone éclata de rire.

— Je crois que le sujet a été longuement débattu et qu'Olivier a gagné après une âpre lutte. Une question d'âge de la voiture, si j'ai bien compris... Bon ! Et maintenant, que fait-on ?

— Doit-on obligatoirement faire quelque chose ? demanda malicieusement Gustave qui comptait sur l'absence de Thomas pour s'offrir des heures et des heures de pur plaisir en écoutant les merveilleux concerts de musique classique qu'il possédait en abondance, mais qu'il n'avait osé imposer à leur nouveau locataire.

Simone se laissa tomber sur le premier fauteuil venu.

—Pas vraiment, admit-elle en même temps... On n'est jamais obligés de sortir, tu le sais bien. Par contre, c'est maintenant ou jamais que l'on peut renouer avec certaines vieilles habitudes. Celles qu'on a un peu négligées depuis les derniers mois.

—C'est vrai que le temps nous a parfois manqué, approuva Gustave en opinant vigoureusement.

Puis après une courte réflexion, il constata:

—C'est comme si la maison avait été envahie, tu ne trouves pas? N'y a-t-il pas une expression anglaise qui laisse entendre qu'à trois, c'est déjà la foule?

—*Three is a crowd!* traduisit Simone en riant. Effectivement, tu as raison. En certaines occasions, trois, ça peut paraître nombreux! On a eu quelques occasions pour le constater.

Gustave, le regard vague, resta un moment silencieux avant de préciser d'une voix hésitante:

—Ce n'est pas un reproche que je t'adresse ainsi, mais la présence de Thomas a modifié bien des choses, n'est-ce pas?

—Si on veut.

Soulagé de voir que Simone pensait comme lui, Gustave s'enhardit:

—Est-ce à cause de lui ou de nous, je ne le sais trop, mais c'est pour cette raison que j'ai dit que le temps nous a parfois manqué.

— Parfois ? Souvent, tu veux dire ! Certaines journées, j'ai eu l'impression qu'on ne se voyait pas, toi et moi.

— Tu as l'air amère. Je l'entends au son de ta voix.

— Amère ? Sûrement pas.

La réponse de Simone avait fusé avec une franchise incontestable.

— Déçue, alors ? demanda Gustave, bien décidé, cette fois, à aller au fond des choses.

Il sentait bien que sa fille n'était pas aussi heureuse qu'elle aurait dû l'être, compte tenu des circonstances entourant l'arrivée de Thomas.

— Oui, on pourrait dire ça comme ça, approuva Simone sans la moindre hésitation. C'est vrai que je suis un peu déçue.

— À cause de Thomas ?

— Entre autres choses... Mais, je ne suis pas prête à parler de cela tout de suite. Sache, cependant, que j'y reviendrai un jour. Je n'aurai pas le choix. Et ce jour-là, c'est avec toi que je ferai le point. Comme je l'ai souvent fait dans ma vie, finalement.

— C'est vrai.

Durant un court moment, le père et la fille savourèrent silencieusement quelques beaux souvenirs. Ce fut Gustave qui, le premier, se décida à briser le silence en demandant :

— Tu souviens-tu quand tu prenais rendez-vous avec ma secrétaire pour venir me raconter ta journée au bureau parce que tu disais que tu ne me voyais pas assez souvent ?

À ce souvenir bien précis, Simone afficha un large sourire.

— Et comment, si je m'en souviens! Laisse-moi te dire que du haut de mes six ans, je trouvais tout à fait commode, et normal, que ta salle de consultation soit à même la maison. Combien de fois maman m'a-t-elle retenue parce que je voulais aller te rejoindre pour des peccadilles? Mon Dieu, que de souvenirs, papa! De beaux souvenirs... Et toi, malgré ton horaire chargé, tu trouvais toujours le temps de m'écouter.

— C'était facile, tu étais ma patiente préférée.

— Je le savais et j'en abusais!

Malgré sa vision déficiente, Gustave se tourna vers Simone, et ils échangèrent un long sourire de connivence.

— En attendant que nous remettions ça, conclut alors Simone, si nous parlions de cette belle journée qui s'offre à nous?

— À ta guise, ma fille.

— J'aurais peut-être une petite idée... Que dirais-tu d'une longue virée au marché Jean-Talon comme on le faisait si souvent l'automne dernier?

— Ah là, tu parles!

Gustave s'était redressé dans son fauteuil, un franc sourire rajeunissant ses traits d'un bon quinze ans.

— Il y a tellement d'odeurs en concentré, là-bas, que ça en est un vrai délice! expliqua-t-il tout guilleret. Je n'ai pas besoin de voir quoi que ce soit pour être heureux, crois-moi. Donne-moi le temps de me changer et on est partis!

Gustave se releva et traversa le salon d'un pas sûr sous l'œil attendri de sa fille. Personne n'aurait pu croire que cet homme-là avait des troubles de vision. Il connaissait la maison comme le fond de sa poche et s'y déplaçait tout à son aise. C'est quand il dépassait les limites de son univers que Gustave Germain perdait tous ses moyens. À l'âge vénérable qui était le sien, bientôt quatre-vingt-dix ans, l'acclimatation à cette vie de malvoyant était exigeante, pour ne pas dire angoissante.

Simone ferma les yeux sur une certaine déception.

Depuis l'arrivée de Thomas dans leur vie, elle avait négligé son père et elle s'en voulait. Mais comment faire autrement? Thomas aussi avait droit à la présence de sa compagne. À une présence de qualité. Après tout, ils avaient choisi de vivre à deux.

Simone ouvrit les yeux, secoua la tête.

Elle avait choisi de vivre avec Thomas parce qu'elle était persuadée de l'aimer. Sincèrement, de toute son âme. Et elle l'aimait toujours. Néanmoins, l'éternelle célibataire n'était pas certaine d'avoir fait ce choix de vie commune en toute connaissance de cause.

Simone échappa un long soupir.

Deux solitudes qui se rejoignent et s'apprécient ne se complètent pas nécessairement. Pas à leur âge. Il y a deux longues vies derrière eux à mettre en harmonie.

— Et ce n'est pas facile, murmura Simone en se relevant.

En attendant, c'est son père qui faisait les frais de sa moins grande disponibilité.

Simone s'étira longuement.

— Pauvre papa, murmura-t-elle encore.

À elle, maintenant qu'ils avaient deux longues semaines devant eux, de rattraper le temps perdu !

Simone se dirigea vers la porte du salon et jeta un coup d'œil vers le fond de la maison, là où jadis son père avait son bureau de médecin. Deux larges pièces un peu à l'écart qu'il avait transformées en chambre spacieuse pour éviter les escaliers au moment où sa vue s'était mise à baisser. Simone inspira longuement puis elle lança joyeusement :

— Quand tu seras prêt, papa, tu me rejoindras à la cuisine. Je vais chercher quelques sacs pour les courses !

Pendant ce temps, quelque part sur l'autoroute 20, une bande de joyeux lurons chantaient à tue-tête quelques vieilles rengaines sorties tout droit des souvenirs d'enfance d'Olivier, du temps où il était scout.

— *Là-haut, sur la montagne, l'était un vieux chalet...*

Thomas s'était vite laissé prendre au jeu et il accompagnait son fils avec ardeur. Chez lui aussi, les souvenirs remontaient à la surface avec une facilité et une fidélité qui le stupéfiaient.

— *Nous en avons, vous en avez, des pics, des pelles...*

À l'arrière, les deux gamins tentaient de suivre, excités comme des puces, agréablement surpris de voir que leur père, habituellement si sérieux, savait s'amuser comme tout le monde.

Et que dire de grand-papa !

Depuis la mort de grand-maman Jeanne, celui qu'ils

voyaient comme un vieux monsieur n'avait plus jamais été tout à fait le même. Plus grave, moins rieur, parfois impatient, il les intimidait. Julien, surtout, du haut de ses neuf ans, car il était capable d'apprécier la différence entre celui qu'il rencontrait parfois aujourd'hui et celui qu'il avait connu du temps de sa grand-mère. Il se rappelait fort bien l'époque où Jeanne était vivante, parfois même avec une certaine nostalgie. Mais là, en ce moment, il n'y avait plus de place pour la nostalgie. Autant Julien qu'Alexis, ils avaient l'impression de retrouver celui qui savait les faire rire quand ils le visitaient chez lui. Ils venaient de retrouver celui qui, dans le temps de grand-maman Jeanne, savait si bien jouer avec eux.

Les vacances commençaient d'une très agréable façon!

Et comme pour corroborer cette impression, Olivier accepta même un arrêt dans un bouiboui sur le bord de la route pour se sustenter à l'heure du dîner. Au menu: hot-dogs et patates frites! Toute une aubaine pour deux enfants élevés par un médecin qui n'entendait pas à rire quand venait le temps de manger sainement!

Le but de cette première journée à passer sur les routes était simple: une halte dans la région de Chicoutimi.

— Plus précisément à Laterrière, précisa Olivier qui avait pris le volant après le repas. J'ai réservé deux chambres dans un *bed and breakfast* qui, ma foi, me semblait assez confortable. De plus, si j'ai bien lu, il devrait y avoir une petite surprise pour vous deux, les garçons.

— C'est quoi ?

— C'est quoi ?

— Inutile d'insister, je ne dirai rien.

Connaissant bien leur père, les enfants ne s'entêtèrent pas et l'après-midi se déroula sous l'avalanche de leurs questions naïves alimentées par une saine curiosité. Assis chacun à un bout de la banquette arrière, le nez écrasé sur la vitre de la portière, Julien et Alexis commentaient tout ce qu'ils voyaient. Installé à l'avant, Thomas répondait avec empressement, tout heureux de ce moment qui lui rappelait ses jeunes années alors qu'il était père de trois jeunes enfants ressemblant à ses petits-fils.

Tant et si bien qu'il en oublia totalement qu'il avait été relégué à la place du passager !

L'auberge choisie par Olivier semblait sortir tout droit d'un conte du siècle dernier. Une délicatesse de lucarnes ornées de frises couleur vanille et de bardeaux aubergine travaillés en dentelle se dressait à quelques mètres de la route. Même les deux enfants furent sensibles à autant de charme.

— Wow, papa ! C'est vraiment beau ici.

Mais une fois la surprise passée, Julien se mit à regarder tout autour de lui tandis qu'Alexis demandait :

— Elle est où, notre surprise ?

Les deux hommes éclatèrent de rire en même temps.

— Deux minutes ! lança Olivier. On va commencer par annoncer notre arrivée et on verra à la surprise après.

Dans le quart d'heure qui suivit, Julien et Alexis

dénichèrent, à l'arrière de la maison, une petite ferme aux dimensions modestes. Aux dimensions, justement, de deux jeunes citadins émerveillés de découvrir la campagne.

Une petite grange dans les coloris de la demeure était nichée dans un bosquet de sapins, avec vache et cochon, s'il vous plaît! Tout à côté, une cacophonie de caquètements affolés accueillit les visiteurs dans le poulailler.

— C'est bien bruyant, des poules!

— Et tu n'as rien entendu, Alexis! Attends un peu que le coq te réveille demain, à l'aube! précisa Thomas en haussant la voix pour être entendu.

Le tout était complété par un clapier flanqué de deux carrés de pelouse.

— Oh! Regarde, papa! Les bébés lapins sont à vendre!

— Oui, et après?

— On peut en acheter un? Dis oui!

— Dis oui!

— Pas question.

Le ton n'autorisait aucune réplique. Sauf peut-être celle d'un grand-père qui suggéra:

— Et si on parlait d'un chat, à la place? À notre retour à Montréal? Ça n'est pas très dérangeant, un chat, ni très exigeant.

Avec une symétrie cocasse, Olivier et les enfants posèrent trois regards surpris sur Thomas qui reprit candidement:

— Bien quoi? C'est vrai qu'un chat, c'est...

— Depuis quand est-ce que tu connais les chats, toi?

Olivier n'en revenait tout simplement pas. Combien y avait-il eu de discussions au juste, autour de la table familiale, quand l'un des trois enfants Vaillancourt manifestait le désir d'avoir une petite bête à la maison ?

— Pourquoi alors, ajouta-t-il d'emblée sans laisser à Thomas le temps de répondre, pourquoi n'as-tu jamais voulu avoir d'animaux à la maison quand on était petits, les jumeaux et moi ?

Cela faisait une éternité qu'Olivier n'avait pas baptisé son frère et sa sœur de ce terme générique qu'on leur avait collé à la peau au moment de leur naissance. Une appellation qui avait perduré durant de nombreuses années.

« Les jumeaux ! »

Thomas esquissa un sourire mélancolique avant de revenir à Olivier.

— Ce n'était pas moi, c'était votre mère qui ne voulait pas d'animaux, fit-il catégorique.

— Facile à dire, ça, maintenant qu'elle n'est plus là pour se défendre, commenta Olivier avec un net scepticisme dans la voix.

— Je te jure !

Thomas semblait offusqué que sa parole soit mise en doute.

— Rappelle-toi ! Jeanne avait une sainte horreur de tout ce qui était susceptible de saccager ses platebandes !

L'hésitation d'Olivier fut de courte durée.

— C'est vrai, admit-il.

Songeur, Olivier se rappelait maintenant les hauts cris

que sa mère poussait quand, par mégarde, le chat des voisins osait pointer le bout de son petit museau rose dans sa cour.

Que dire d'un chien, maintenant, qui se serait amusé à enterrer ses os un peu partout?

À des lieux de toutes les réminiscences de son père, Alexis, impatient, tira sur le bord du pantalon d'Olivier pour attirer son attention.

— Alors, papa? On peut avoir un chat?

Ramené intempestivement au temps présent, Olivier secoua la tête et se pencha vers Alexis qui le regardait avec une attente bouleversante au fond des yeux.

Olivier sentit son cœur se serrer.

Il lui fallait admettre que les temps avaient été plutôt difficiles pour ses fils depuis le divorce. Alors…

— On verra, jeune homme, on verra, fit-il volontairement évasif, se réservant tout de même un certain temps de réflexion.

Mais cette réponse ne satisfit pas Julien. Prenant son rôle d'aîné très au sérieux, il se glissa dans la discussion.

— Mais tu ne dis pas non, hein, papa? vérifia-t-il d'une voix à la fois inquiète et pleine d'espoir.

Pour lui, pas question de passer le reste des vacances avec l'ombre d'une telle incertitude planant au-dessus d'eux.

— Effectivement, je ne dis pas non, rassura Olivier. Votre grand-père n'a pas tout à fait tort: un chat, c'est nettement plus facile à garder qu'un chien… Et maintenant, si on allait voir de plus près ces fameux lapins qui ont donné de bien drôles d'idées à grand-papa Thomas ?

Ce soir-là, après un copieux souper, deux petits garçons de la ville s'endormirent avec des ambitions de fermier plein la tête et le cœur rempli d'espoir.

S'il était blanc et noir, leur chat s'appellerait Oreo !

Le lendemain, les vacances commencèrent pour de bon.

Saint-Félicien avec ses ours polaires, ses caribous et ses orignaux. Puis retour sur leurs pas vers les Cantons-de-l'Est. Il y eut alors Granby avec ses lions, ses panthères et ses gorilles.

Julien et Alexis n'avaient pas assez de leurs deux yeux pour tout voir, pas suffisamment de vocabulaire pour tout commenter. N'empêche que chaque fois qu'ils découvraient un nouvel animal, ils s'empressaient de lui trouver un point commun avec Oreo.

— Tu vas voir, Julien, Oreo va avoir du blanc comme un ours polaire !

— Et du noir comme les gorilles, rétorquait vivement le second pour ne pas être en reste.

Puis, un peu plus tard :

— Regarde, Alexis ! Oreo va grimper aux arbres comme la panthère.

— Et aimer dormir au soleil comme le lion.

Pas de doute, Olivier n'aurait pas le choix ! Il devrait adopter un petit chat. Il serait noir et blanc et on le baptiserait Oreo.

La première semaine de vacances fut rapidement derrière eux, puis ce fut Québec.

— Je sais, je sais, j'ai fait un long détour ! Mais je tenais à terminer le voyage à Québec. Non seulement il y a un zoo, mais on va pouvoir visiter des tas de choses. Le Musée de la civilisation, l'Aquarium, le Vieux-Québec, le château Frontenac. Il y a des tas de choses à voir et à faire à Québec !

En effet, heureusement que la ville de Québec cachait mille et un trésors parce que le Jardin zoologique, lui, brillait par son absence.

— Comment ça, plus de Jardin zoologique ? Depuis quand ?

Olivier tourna sa déception face à son père.

— Tu le savais, toi, que le zoo n'existait plus ?

— Euh...

— Bien moi non plus !

Grandement déçu, les poings sur les hanches, Julien examinait l'immense stationnement presque vide.

— Pourquoi, papa, le zoo a disparu ?

Copiant l'attitude de son frère, Alexis fit un rapide survol du stationnement puis regardant tour à tour son père et son grand-père, il décréta :

— J'espère seulement qu'Oreo ne disparaîtra pas lui aussi !

Ce fut ainsi, sur ces quelques mots d'Alexis, que le séjour à Québec commença dans un grand éclat de rire.

De loin, sans chercher nécessairement à intervenir, Thomas se laissait porter par l'atmosphère familiale qu'Olivier savait merveilleusement créer autour de lui et de ses enfants. En même temps qu'il apprenait à mieux apprécier ses petits-fils, il découvrait un fils qu'il connaissait bien mal. L'homme toujours pressé, qui n'avait jamais le temps, qui semblait vivre à la surface des événements comme des émotions, n'était qu'une façade. Chez Olivier, c'était le cœur qui dirigeait tout.

Son cœur de père, de fils et de médecin.

C'est ainsi que depuis maintenant une dizaine de jours, Thomas, tout comme ses petits-fils, allait de découvertes en découvertes. Celles qu'il faisait au sujet d'Olivier le remplissaient d'aise.

Comment se faisait-il qu'il n'ait pas remarqué les qualités d'Olivier quand celui-ci vivait chez lui au moment de sa séparation, l'an dernier ? Fallait-il qu'il ait été désemparé par le décès de Jeanne pour passer à côté d'une si flagrante vérité !

À tout bien considérer, hormis sa fâcheuse manie de vouloir tout prévoir des mois à l'avance et de traverser la vie des gens en coup de vent sans se laisser facilement saisir, Olivier ressemblait à son frère Sébastien.

Tous les deux, ils étaient des hommes sensibles, capables d'écoute et d'empathie. Thomas en fut surpris et il se demanda, d'un même souffle, pourquoi les deux frères étaient alors si loin l'un de l'autre.

Une simple interrogation et Thomas regretta cruellement la présence de Jeanne. Avec elle, il aurait pu en parler, essayer de comprendre.

« Comme peut-être avec Armand », songea-t-il d'un même souffle.

L'idée s'était imposée d'elle-même, rapide comme

l'éclair, découlant d'une évidence criante.

— Et si on allait voir grand-père Armand ? lança-t-il aussitôt.

Thomas était honteux de ne pas avoir pensé à son beau-père avant ça. Après tout, ils étaient à Québec depuis trois jours, donc il aurait dû avoir le réflexe de penser à son fils et à son beau-père !

— Il me semble qu'on ne peut pas venir à Québec sans aller saluer votre oncle Sébastien et grand-père Armand. Qu'en pensez-vous ?

Olivier tourna un visage penaud vers Thomas.

— Le pire, avoua-t-il, c'est que je n'y aurais même pas pensé. Va donc pour une visite chez grand-père, tu as tout à fait raison !

— Et si on avait été intelligents pour deux sous, on aurait même pu loger chez eux !

Ils firent un petit détour de quelques kilomètres pour que Thomas puisse montrer à ses petits-fils la maison où il avait grandi.

— Regardez, les garçons ! C'est le chêne où je grimpais quand j'avais votre âge. Je suis content de voir qu'il tient le coup.

— Comme toi, grand-papa, comme toi !

En fin d'après-midi, ils arrivèrent enfin sur la rue des Braves, là où Jeanne avait vécu toute son adolescence.

Sébastien les accueillit avec des cris de joie; Armand, avec un sourire chaleureux.

— Quelle belle surprise ! Mais entrez, entrez !

— Et on vous garde à souper, c'est non négociable !

Sébastien avait l'air tellement heureux de les voir que Thomas se sentit coupable de ne pas faire la route entre Montréal et Québec plus souvent. Après tout, il était libre de son temps, non?

Tandis que Thomas regardait tout autour de lui, la tête remplie d'une multitude de souvenirs, Olivier accrocha son regard au passage, le temps d'une brève consultation silencieuse, puis il accepta l'invitation.

— D'accord, on reste à souper.

Cette mise au point faite, les deux enfants se réap-proprièrent bruyamment la chambre qu'Armand avait fait aménager tout spécialement pour eux à l'étage, il y avait de cela quelques années, et les adultes se retrou-vèrent au salon devant un apéritif.

— Ça va être à la fortune du pot! Je n'avais pas prévu une foule à notre table ce soir!

Sébastien s'excusait, mais avec un tel plaisir dans la voix que ça en était un vrai bonheur.

— Je peux t'aider?

— Toi? Dans une cuisine?

Goguenard, Sébastien se tourna vivement pour exa-miner son frère. Celui-ci afficha aussitôt un faux air furi-bond qu'un regard pétillant démentait.

— Pourquoi pas?

Un brin prétentieux, Olivier ne laissait jamais passer l'occasion d'offrir une démonstration de ses capacités.

— Tu vas voir que je commence à me débrouiller pas mal bien! Avec deux tubes digestifs assis à ma table une semaine sur deux, je n'ai pas eu le choix de me mettre au fourneau. Nécessité fait loi, n'est-ce pas?

— Comme tu dis... Alors, on y va!

Sur ce, les deux frères quittèrent le salon, se relançant l'un l'autre avec leurs plus récentes prouesses culinaires, et parlèrent livres de recettes comme d'autres discutent politique ou philosophie.

Et comme la maison d'Armand Lévesque était immense, un véritable manoir, au bout de quelques instants, un silence reposant enveloppa les deux hommes qui étaient restés au salon.

Durant un long moment, seul le tic-tac de l'horloge posée sur le manteau de la cheminée troubla cette quiétude. Puis, ce fut la voix du vieil homme qui rompit cette tranquillité.

— Je suis heureux de te voir, Thomas. Très sincèrement heureux. Ta présence me manque, tu sais.

— La vôtre me manque aussi, avoua bien simplement Thomas tout en levant les yeux vers son beau-père. D'être ici m'en fait prendre conscience.

— Dans ce cas, si tu restais quelques jours avec nous?

Pour Armand, le moindre changement à la routine était le bienvenu.

— Je ne sais trop...

Thomas hésitait. Comment Olivier et les enfants prendraient-ils la chose? Et à Montréal, il y avait Simone qui l'attendait.

— Il y a Olivier, les enfants... Et Simone doit commencer à trouver le temps long. Elle risque aussi de s'inquiéter.

— Pour les enfants, je ne sais pas, mais pour Simone, on a le téléphone, tu sais! précisa Armand, pince-sans-rire. Tu pourrais la prévenir.

Thomas esquissa alors un sourire contrit.

— Je suis ridicule avec mes hésitations... Olivier pourrait mettre à profit quelques jours en tête-à-tête avec ses deux mousses, et Simone peut très bien survivre quelques jours de plus sans moi.

Armand remarqua aussitôt que Thomas n'avait aucunement parlé de ses émotions personnelles, d'un quelconque ennui qu'il aurait pu éprouver. Il avait eu une pensée pour Olivier et les enfants, une autre pour Simone.

Simone qui risquait de s'ennuyer...

De son ennui à lui, Thomas n'avait fait nulle mention. C'est pourquoi Armand se permit d'insister.

— Alors? Je peux compter sur ta présence pour quelques jours?

Il y avait suffisamment d'attente dans la voix du vieil homme pour susciter l'envie de rester. Pourtant, Thomas semblait encore hésitant.

— Tu pourras toujours dire que tu me rends service! ajouta-t-il avec une désinvolture calculée, espérant ainsi convaincre son gendre de rester. Ma dame de compagnie prend un repos bien mérité et Sébastien en a probablement plus qu'assez de jouer les gardes-chiourme. À son âge, il a sûrement mieux à faire que de passer la majeure partie de son temps avec un vieux monsieur comme moi. Oh! Il ne se plaint jamais, il est trop bien élevé pour cela, n'empêche qu'il n'a pas encore trente ans, le jeune homme! Les pattes doivent parfois lui démanger! Il doit parfois avoir envie de prendre la poudre d'escampette! Alors, Thomas, tu acceptes le contrat?

Plus Armand additionnait les raisons susceptibles de convaincre Thomas et plus il se convainquait lui-même de l'importance de garder son gendre auprès de lui. Auprès de Sébastien. Malgré tout ce que le jeune homme en pensait, Armand était persuadé que son petit-fils avait grand besoin de son père.

Et depuis quelque temps, Sébastien aurait eu aussi besoin de Jeanne, et Armand, s'il avait compris ce qu'il y avait de caché entre les lignes, pour rejoindre Jeanne il lui faudrait passer par Thomas.

Le vieil homme afficha donc un air satisfait quand Thomas accepta enfin son invitation.

— On va en profiter pour ressasser quelques vieux et beaux souvenirs, mon cher Thomas.

— Oh, vous savez, les souvenirs et moi... Ils sont plutôt nostalgiques, mes souvenirs.

— Comme ils le sont tous jusqu'à un certain point, Thomas. Tous!

Tout en disant cela, Armand admettait en son for intérieur que cette visite imprévue ferait probablement autant de bien au père qu'au fils.

Et peut-être aussi au grand-père!

Le lendemain matin, au déjeuner, Thomas faisait donc ses adieux à Julien et Alexis.

— Ne craignez pas, on va se revoir très bientôt,

promit-il précipitamment quand il remarqua le regard un peu triste du petit Alexis.

Cette promesse, c'était aussi à lui qu'il la faisait.

— Et notre chat, lui ? demanda le jeune garçon, essayant d'avaler sa déception en même temps que son gruau sans que ça paraisse trop. Tu as promis que tu viendrais le choisir avec nous.

— Et il n'y a rien de changé, mon grand ! Dès mon retour à Montréal, ce qui ne devrait quand même pas tarder, on fait la tournée des animaleries pour dénicher le plus beau, le plus gentil, le plus merveilleux des petits chats noir et blanc.

— Promis ?

— Promis. Vous deux, en attendant, dès que vous êtes de retour à la maison, vous pourriez peut-être vérifier les petites annonces dans les journaux. On ne sait jamais !

— Et si on trouve quelque chose d'intéressant ?

Tout comme Olivier le faisait à son âge, le jeune Julien ne laissait rien au hasard. Lui aussi, il aimait bien que les choses soient claires, prévues et organisées. C'est pourquoi il s'était immiscé dans la conversation. C'était naturel chez lui.

— Si tu trouves quelque chose, tu m'appelles, ordonna Thomas sur un ton de connivence. Tu n'auras qu'à demander à ton père, il connaît le numéro, et moi, je rapplique illico.

Dans de telles conditions et sur une telle promesse, Julien et Alexis n'avaient plus qu'à faire la bise à Thomas en lui souhaitant un bon séjour chez grand-père Armand.

Pour eux, la journée serait quand même fort intéressante : ils partaient visiter l'Aquarium.

Thomas retrouva avec un plaisir indicible la chambre qui lui était généralement allouée. Être ici, c'était, d'une façon indéniable, être auprès de Jeanne.

Malgré la présence de Simone dans sa vie, il y aurait toujours Jeanne, embusquée au creux de ses souvenirs et de ses pensées. Cela, Thomas l'avait compris. Il ne pensait pas, cependant, que malgré le passage du temps, ce vague à l'âme resterait aussi prenant.

Tel que prédit par Armand, Sébastien profita de l'occasion pour filer en douce. Thomas n'était pas sitôt assis devant un café que le jeune homme se présentait à la cuisine, un sac à dos pendu à l'épaule.

— Si ça ne vous dérange pas trop, je profiterais de...

— Ça ne dérange pas du tout ! trancha brusquement Armand. Au contraire, ça me fait plaisir de voir que tu penses à t'amuser. Profite de ta journée, fiston. De plus, il fait très beau.

Armand aurait voulu mettre Sébastien à la porte que le ton n'aurait pas été différent. Sévère, catégorique, un brin impatient.

— Ne me regarde pas avec cet air-là ! bougonna le vieillard devant un geste d'hésitation du jeune homme qui le fixait, les sourcils froncés, peu habitué d'entendre son grand-père lui parler sur ce ton. Allez, file, avant que je change d'avis et que j'aie l'irrésistible envie de te demander de laver toutes les vitres de la maison !

Cette dernière réplique détendit aussitôt l'atmosphère,

et Sébastien quitta la cuisine dans un grand éclat de rire, sans demander son reste.

— Et maintenant, lança Armand dès que la porte d'entrée eut claqué, j'ai bien envie de faire mon capricieux.

— Ce qui veut dire?

— Ce qui veut dire que j'apprécierais grandement que tu m'emmènes faire une balade en auto.

— C'est ce que vous appelez un caprice? Moi, je dirais plutôt que c'est une demande bien légitime pour quelqu'un qui vit la majeure partie du temps chez lui, sans vraiment sortir. Alors? Où est-ce que vous aimeriez aller? Qu'est-ce que vous aimeriez voir?

— L'Île d'Orléans!

La réponse avait fusé avec la détermination de celui qui a préparé son coup de longue date.

— J'aimerais qu'ensemble, toi et moi, on fasse le tour de l'île. On s'arrêtera quand on le voudra, on prendra le repas de midi sur une jolie terrasse, s'il en existe encore, et on marchera lentement sur le bord de l'eau, si c'est encore possible de le faire. Qu'en penses-tu?

— Je n'en pense que du bien, Armand! C'est une merveilleuse idée que vous avez là.

— Alors, aide-moi à monter à ma chambre. Je fais un brin de toilette et nous partons.

La toilette d'Armand se résuma à bien peu de choses. Le temps d'ouvrir le tiroir de la table de chevet et d'y prendre la lettre de Jeanne, et le vieil homme était prêt à partir. Il passa tout de même par la salle de bain, fit couler l'eau et s'humecta le bout des doigts pour se donner bonne conscience, lui qui ne mentait jamais. Un coup de peigne par habitude et il appelait Thomas tout en revenant vers sa chambre, clopin-clopant.

— Ça y est, Thomas! Je suis prêt à partir. Tu peux entrer.

Thomas glissa la tête par la porte entrouverte et vit que son beau-père était en train d'attacher un léger lainage.

— Et si nous prenions votre chaise roulante? proposa-t-il en glissant son bras sous celui de son beau-père. Sait-on jamais, ça pourrait servir.

— Et pourquoi pas! Non que j'aime m'y installer, car ça me rappelle trop explicitement l'âge que j'ai atteint, mais par contre, j'avoue que cet engin du diable aide grandement à me déplacer. Maintenant l'escalier, soupira-t-il en s'arrêtant devant ce qui lui apparaissait comme une flopée d'embûches chaque fois qu'il devait l'emprunter. Un peu d'énergie! C'est le dernier obstacle avant notre départ. Et après, à nous la liberté, Thomas! La grande liberté! Si tu savais comme tu me fais plaisir... La dernière fois que je suis allé à l'île, c'est avec Jeanne que je l'ai fait. C'est te dire comment ça fait longtemps, n'est-ce pas?

Thomas ne répondit pas et Armand respecta ce silence.

Il n'y eut aucun autre mot échangé à partir du moment où Armand fut assis dans l'auto. Thomas manipula précautionneusement la lourde Mercedes que son beau-père n'arrivait toujours pas à se décider à vendre même si elle ne servait qu'une fois ou deux par année.

Puis il s'engagea sur la rue bordée de demeures toutes plus magnifiques et cossues les unes que les autres. Alors qu'il se dirigeait vers le chemin Sainte-Foy, Thomas se rappelait combien il avait été surpris que voir qu'une jeune fille aussi simple que Jeanne pouvait habiter un quartier aussi huppé. L'instant d'après, le cœur voulait lui sortir de la poitrine quand il se répéta que la vie avait passé trop vite.

C'était hier qu'il courtisait Jeanne.

En un éclair, le temps d'un spasme du cœur, il eut la sensation que toute sa vie déboulait devant lui.

Jeanne et le collège, le mariage et la naissance des enfants, la vie de famille et le travail, la peur de ne pas y arriver et les calculs à n'en plus finir, puis un peu plus tard, les voyages au bord de la mer en été et ceux dans le sud en hiver...

Toute cette vie dont ils avaient tant parlé à deux, qu'ils avaient espérée à deux alors que Jeanne habitait encore ici, toute cette vie qui était déjà derrière lui.

Derrière lui...

Thomas sentit une forte oppression dans sa poitrine, comme un spasme douloureux, parce qu'il ne pouvait même plus dire « derrière eux ». Il fit un effort surhumain pour retenir les larmes qu'il sentait poindre au bord des paupières.

Quand il avait confessé hier que, pour lui, les souvenirs avaient une saveur nostalgique, c'est ce qu'il voulait dire.

Cette fois-ci, Thomas ne put retenir le long soupir qui lui gonfla la poitrine.

Peut-être bien qu'un jour, la vie se conjuguerait encore une fois à deux. Peut-être, oui. Thomas ne savait pas si c'était possible encore, mais il l'espérait.

Les souvenirs, par contre, bons et moins bons, ce serait toujours en solitaire qu'il pourrait y revenir.

La route se fit dans un silence monacal jusqu'au pont de l'île. Le nez à la portière, Armand dévorait les paysages avec un plaisir gourmand qui n'échappa nullement à Thomas. Alors, petit à petit, ce dernier se laissa gagner à son tour par l'agrément d'une journée qui sortait de l'ordinaire, et quand Armand se mit à parler, c'est un sourire que Thomas lui offrit furtivement avant de s'engager sur l'étroite bande de bitume qui reliait la rive et l'île.

— Merci, Thomas. Depuis que nous avons quitté la maison, le bien-être que je ressens va bien au-delà de tout ce que j'espérais. C'est comme si je plongeais tête première dans la fontaine de Jouvence!

Amusé, Thomas rétorqua:

— À ce point-là?

— Et même plus, mon cher Thomas, et même plus! Maintenant, si tu voulais bien tourner à notre droite, en direction de Sainte-Pétronille, ça me ferait le plus grand des plaisirs.

À quelques kilomètres de là, à la pointe ouest de l'île d'Orléans, Armand exigea un premier arrêt.

— C'est ici, il y a de cela bien des décennies, que j'ai

demandé ma Béatrice en mariage, annonça-t-il solennellement en sortant lentement de l'auto.

Un bras appuyé contre la portière, le vieil homme regarda longuement autour de lui, inspirant profondément l'air chargé d'une entêtante senteur de varech.

— Nous étions attablés au restaurant de cet hôtel que tu vois là, ajouta-t-il, l'index pointé devant lui, et nous avions une vue imprenable sur le château Frontenac que l'on avait reconstruit en grand apparat vers 1926, à la suite d'un important incendie... L'auberge La Goéliche, lut-il sur l'écriteau qui battait doucement au vent. Je ne me souviens plus si ça portait le même nom à l'époque, mais c'est sans importance...

Tout en parlant, Armand opinait lentement, un vague sourire sur ses lèvres parcheminées. De toute évidence, il revoyait clairement la scène, et son regard, clair et brillant comme celui d'un jeune homme, contredisait les rides.

— Trois mois d'économies pour payer un simple repas et le passage en autobus pour parvenir jusqu'ici, poursuivit-il tout en esquissant une petite grimace. Te rends-tu compte, Thomas ? Trois longs mois à me priver d'à peu près tout. Tabac, bière, tramway... Mais comme Béatrice a dit oui, ça valait son pesant d'or. On y entre ?

Ils pénétrèrent dans l'auberge, et comme la salle à manger existait toujours, ils s'y installèrent le temps d'un café.

— La même vue, analysa Armand tout en plissant les paupières. Et le même château.

— Mais pas la même compagnie, répliqua Thomas avec une légère pointe de taquinerie dans la voix.

— Qu'importe ?

Armand tourna la tête vers son gendre.

— Les souvenirs, on en fait bien ce que l'on veut et quand personne ne peut nous contredire, on peut les enjoliver autant que possible. Ça peut avoir son charme, tu sais. L'essentiel, je crois, c'est d'être avec quelqu'un qui nous est cher quand on a envie d'en parler. Le reste importe peu. Alors, en ce moment, de me rappeler ce jour déterminant pour moi, en ta compagnie, cher Thomas, ça rend le souvenir d'autant plus beau.

— C'est gentil de me dire cela.

— Non seulement c'est gentil, répliqua malicieusement Armand, c'est aussi on ne peut plus vrai.

Puis, redevenu sérieux, il ajouta :

— C'est exactement ce que j'ai dit à Jeanne, il y a de cela bien des années, un jour qu'elle partageait une pâtisserie avec moi, justement ici.

Armand jeta un coup d'œil autour de lui.

— Si je ne m'abuse, poursuivit-il, nous étions assis à cette même table, elle et moi... Et maintenant, si tu le veux bien, on reprend la route !

Le temps de regagner la voiture et la randonnée reprenait de plus belle.

— Ici, les souvenirs sont venus plus tard, commenta Armand tout en pointant le panneau de signalisation routière qui annonçait le village de Saint-Laurent. Quelques beaux pique-niques au bord de la grève et des dimanches entiers à cueillir des pommes. Ce dont je te parle, c'était avant la naissance de Jeanne et après, aussi, quand nous sommes revenus nous installer à Québec. J'aime bien Saint-Laurent, mais je ne suis pas certain que Jeanne en aurait dit autant! Combien de fois a-t-elle fait grise mine quand, à l'adolescence, je l'obligeais à m'accompagner? Oh! Regarde! Il y a une galerie d'art dans cette vieille maison! Que c'est joli! *La marée montante...* J'aime le nom. On y va?

Sculptures et tableaux sur fond de fleuve tranquille. Il n'en fallait pas plus pour qu'Armand se sente conquis. Il prit tout son temps, discuta avec le propriétaire et commenta les œuvres avec Thomas.

— J'aime bien cet artiste, fit-il en reculant de deux pas, soutenu par Thomas qui craignait une chute, car les planchers de la demeure ancestrale n'étaient pas tous égaux. C'est original.

Quand Thomas leva les yeux, pour voir ce que son beau-père lui montrait, son cœur s'emballa.

Armand admirait la toile d'un artiste que Jeanne avait toujours beaucoup aimé sans avoir les moyens de s'offrir une de ses toiles, du moins, c'est ce qu'elle prétendait chaque fois que Thomas lui suggérait de se gâter un peu.

— Albini Leblanc, murmura alors Thomas, ému.

Armand tourna la tête vers lui.

— Tu connais ce peintre?

— Un peu... Je sais que Jeanne l'aimait beaucoup. Ses maisons un peu croches, de travers, et la luminosité de ses paysages; ses verres de vin défiant la gravité et le réalisme des fruits de ses natures mortes... Je crois qu'elle aurait bien voulu s'offrir une de ses toiles. Non qu'elles soient inabordables, mais une chose n'attendant pas l'autre, l'occasion a manqué.

— Selon toi, laquelle aurait-elle choisie? demanda alors Armand, son regard allant de l'une à l'autre des trois toiles exposées.

À son tour, Thomas recula de quelques pas, entrant dans le jeu.

Quelle toile Jeanne aurait-elle préférée?

— Je crois, fit-il enfin, hésitant, je crois qu'elle aurait choisi le paysage d'hiver. Autant elle pouvait détester le froid, autant elle aimait les tempêtes de neige. Alors, oui, conclut Thomas avec plus d'assurance, Jeanne aurait probablement choisi la rue enneigée.

— Et si on se l'offrait? En souvenir de Jeanne?

Thomas tourna un regard inquisiteur vers le vieil homme. Il ne comprenait pas ce qu'il suggérait. Mais comme Armand souriait, son beau-fils crut à une petite blague de sa part. C'est pourquoi il rétorqua, enjoué:

— Vous offrir ce tableau? Pourquoi pas? Vous avez les moyens de vous offrir la galerie au grand complet si vous le voulez.

D'un large geste du bras, Thomas embrassa l'ensemble de la vaste pièce où ils se trouvaient.

— Cesse de faire le gamin!

Armand semblait vraiment choqué.

— Ce n'est pas ce que je dis. Je parle de nous offrir,

à toi comme à moi, un petit peu de notre chère Jeanne. C'est toi-même qui viens de dire qu'elle aimait ce peintre. C'est donc par son regard que nous regarderons ce merveilleux paysage d'hiver. Alors ? Qu'est-ce que tu en penses ?

Machinalement, Thomas reporta les yeux sur la toile. Nul doute que Jeanne aurait été heureuse de l'accrocher au-dessus du foyer, dans leur salon. Ou peut-être sur le mur de brique de la serre.

— Je pense que c'est une merveilleuse idée, murmura-t-il, sincèrement touché par le geste de son beau-père. Bien que je ne voie pas comment nous allons pouvoir le contempler en même temps, c'est une...

— Détail ! coupa Armand.

Du bout des doigts, il balaya la remarque de Thomas et du regard, il chercha le propriétaire de la galerie.

— Ah, vous voilà ! lança-t-il à l'homme qui s'approchait de lui.

À voir son sourire, il était facile de déduire que le propriétaire de la galerie n'avait rien perdu de la conversation qui venait de se dérouler.

— Je crois que mon gendre et moi, nous allons nous offrir cette toile.

— Laquelle ?

— Comme si vous ne le saviez pas ! Le paysage d'hiver, voyons ! Je peux payer par débit ?

Ce fut donc avec une tempête de neige installée sur la banquette arrière de l'automobile que Thomas et Armand reprirent leur périple.

— C'est un peu fou, avoua Armand en détournant brièvement la tête pour contempler la toile, mais j'ai l'impression que Jeanne nous accompagne... Et voilà Saint-Jean, annonça-t-il quand il ramena les yeux vers l'avant. Ici, par exemple, j'ai des tas de souvenirs qui me viennent à l'esprit. Et plein d'anecdotes à te raconter... Trouve-nous un petit restaurant et je vais t'en parler tout en mangeant. J'ai faim !

Encore une fois, ce fut sur fond de marée changeante qu'Armand raconta une partie de sa vie dont Thomas ignorait jusqu'au premier mot.

Les fréquentations avec Béatrice, leur modeste mariage à l'église Saint-Roch, leurs premières années de vie commune.

Tout en découvrant la jeunesse de son beau-père, Thomas avait la sensation d'apprendre à mieux connaître Jeanne. C'était enivrant de toucher à ses origines. D'entendre parler de ce passé jusqu'à ce jour inconnu le rapprochait d'elle.

Sans l'interrompre, Thomas écouta Armand religieusement.

— Nous n'étions pas riches, commença le vieil homme, entre deux bouchées. Loin de là ! Nous habitions alors un tout petit logement, Béatrice et moi. À peine deux pièces, ouvertes l'une sur l'autre. En fait, on aurait pu appeler ça un salon double. Nous partagions la salle de bain commune qui était à l'étage et nous mangions ce que notre logeuse mettait sur la table. Madame Roberge, qu'elle s'appelait. Madame Marie-Paul Roberge...

Armand ne s'arrêtait de parler que le temps de prendre une bouchée.

— Tout cela pour te dire, mon cher Thomas, continua-t-il en s'essuyant la bouche, que lorsque venait l'été, il faisait une chaleur infernale dans notre modeste logis de la rue Grant. C'est pourquoi, dès que j'ai eu les moyens de le faire, j'ai pris l'habitude de louer un petit chalet ici, à Saint-Jean, tout près de la plage. Au moins, ma Béatrice pouvait respirer de l'air frais tout en continuant sa couture puisque c'était là son métier. Comme il y avait de nombreux vacanciers qui appréciaient l'île d'Orléans, nous trouvions toujours quelqu'un pour nous véhiculer. Bien sûr, durant la semaine, je m'ennuyais terriblement de Béatrice. Heureusement, chaque médaille a deux côtés. Si je me languissais d'elle du lundi au jeudi, c'était si agréable de se retrouver le vendredi soir !

Armand repoussa son assiette, les yeux perdus dans le vague, tournés sans doute vers une vision connue de lui seul et qu'il n'avait nullement l'intention de partager. Thomas respecta ce bref retrait, constatant qu'Armand avait mangé de fort bon appétit, tandis que dans sa propre assiette, la viande qu'il avait boudée nageait maintenant dans la sauce figée. À son tour, Thomas repoussa son assiette.

— Si ma mémoire est fidèle, nous avons dû louer ce chalet durant trois ou quatre ans, le temps que ma situation s'améliore, précisa alors Armand. Bien sûr, nous ne vivions plus dans notre misérable cambuse et nous aurions pu passer la belle saison en ville, mais nous aimions tellement notre petit chalet! Puis Jeanne est arrivée dans notre vie, j'ai obtenu l'emploi que j'espérais, et quelques années plus tard, nous commencions à voyager un peu partout dans le monde pour mon travail... Voilà! Tu sais presque tout de moi. Et j'ajouterais, pour que le tableau soit complet, que je n'ai plus faim!

— Moi non plus.

— Alors, on continue!

Le temps de régler l'addition et les deux hommes repartaient.

Quand ils arrivèrent à Saint-François, Thomas s'attendait à ce que son beau-père lui indique un endroit ou un autre pour s'arrêter, tant il semblait connaître l'île comme le fond de sa poche. Mais il n'en fut rien. Il fallut contourner le bout de l'île pour que le vieil homme se décide enfin à parler.

— Tiens, une halte routière, souligna-t-il après ce long moment de silence. Je ne me souviens pas de l'avoir déjà vue. Nous allons faire une pause si tu n'y vois pas d'inconvénient... Puis non, continue de rouler. D'ici on ne voit pas le fleuve et cela me contrarie. Pourquoi venir dans une île, grands dieux, si on cherche délibérément à s'éloigner de l'eau?

Cinq minutes plus tard, Armand désignait un champ en friche du bout de l'index.

— Et si nous arrêtions ici? suggéra-t-il. Il y aurait de la place pour garer l'auto en toute sécurité le long de la chaussée et je ne crois pas que le propriétaire de ce lopin de terre serait offusqué que j'y installe les quatre roues de ma chaise... ni toi tes fesses! Ça ne te dérange pas, n'est-ce pas, de t'asseoir à même le sol?

— Pas le moins du monde.

L'instant d'après, les deux hommes étaient installés face au mont Sainte-Anne tandis que l'estuaire s'ouvrait largement vers l'est, laissant deviner des horizons infinis. Sans être chaud, le soleil était bon, et, les yeux mi-clos, Armand se laissa porter par la brise odorante qui provenait du fleuve. Pendant ce temps, assis en tailleur à même le foin parfumé, Thomas attendait impatiemment la suite des confidences.

— Alors? demanda-t-il au bout d'un silence qu'il s'expliquait mal. Quels sont les souvenirs qui se rattachent à notre arrêt cette fois-ci?

— Aucun!

Armand regarda tout autour de lui.

— Je n'ai aucun souvenir précis rattaché à ce village parce que je n'ai jamais vraiment aimé Saint-François, confia-t-il à voix basse comme s'il craignait que quelqu'un l'entende. Ni Béatrice, d'ailleurs. Hormis la vue spectaculaire, et uniquement à quelques endroits bien spécifiques, il n'y a rien d'attirant ici. Je dirais même que ce village est déprimant. Alors, on n'y venait jamais ou presque.

— Pourquoi vouloir vous y arrêter d'abord?

— Justement parce que je n'ai aucun souvenir appartenant à l'endroit, articula lentement Armand avec un tel détachement dans la voix que Thomas fronça les sourcils.

— Je ne comprends pas.

— Il faut parfois regarder derrière soi pour savoir où l'on s'en va.

Curieusement, Armand parlait maintenant d'une voix sérieuse, presque austère.

— C'est ce que je viens de faire en ta compagnie, fit-il remarquer avec un peu plus d'entrain tout en restant grave. Ce que j'ai revu de mon passé m'a plu. Malgré les moments difficiles, je ne regrette rien. C'est de bon augure pour l'avenir, n'est-ce pas ? Même si dans mon cas, il m'en reste infiniment moins à faire, considérant tout ce que j'ai accompli jusqu'à maintenant... N'empêche ! Tant qu'il y a de la vie, il y a de l'espoir. C'est pourquoi maintenant, si tu es toujours d'accord, mon cher Thomas, nous pourrions regarder ensemble devant nous. Devant ton fils, pour être plus précis. Tous les deux, nous allons tenter de l'aider à regarder l'avenir avec plus de sérénité. Oui, c'est ainsi que j'ai envie de dire cela. Regarder l'avenir avec plus de sérénité.

Après les derniers jours qu'il venait de vivre, le nom qui traversa l'esprit de Thomas fut spontanément celui d'Olivier. Il tourna vivement la tête vers Armand.

— Olivier ? Qu'est-ce qui ne va pas avec...

— Je ne parle pas d'Olivier, Thomas. Je parle de Sébastien.

— Sébastien ?

Thomas resta un moment silencieux le temps d'apprivoiser l'idée que Sébastien puisse avoir besoin de lui.

— Alors, ma question reste la même, reprit-il,

visiblement déconcerté. Qu'est-ce qui ne va pas avec Sébastien? Depuis que Marc-Antoine est dans sa vie, il me semble que mon fils se porte à merveille! La dernière fois que je l'ai vu, il...

—Justement, l'interrompit Armand. À quand remonte cette dernière fois où tu as rencontré ton fils?

Thomas se sentit rougir. Il porta aussitôt les yeux sur la ligne d'horizon.

—Ça fait longtemps, avoua-t-il, confus. C'était en mai dernier. Quand nous avons fait une corvée de peinture chez... pour la garderie de Mélanie.

Les mots étaient restés pris dans sa gorge, et Thomas n'avait pas réussi à prononcer *chez Mélanie*. Il s'en voulut aussitôt. Pendant ce temps, Armand poursuivait sur sa lancée.

—Tu admettras avec moi qu'il peut s'en passer des choses en trois mois, n'est-ce pas?

—Tout à fait, admit Thomas, heureux de revenir aux propos de son beau-père même si ceux-ci ne semblaient pas porteurs de joie.

Puis il ajouta précipitamment:

—Par contre, si je n'ai pas vu Sébastien, je l'ai appelé à quelques reprises et jamais je...

—Thomas, Thomas...

Du plat de la main, Armand tapota l'épaule de son gendre.

—Je ne cherche pas à te condamner, mon pauvre garçon. Tu parles à tes enfants comme bon te semble et quand bon te semble. Ça ne me regarde pas. Te lancer la pierre n'est certainement pas le but de l'exercice que j'aimerais faire avec toi. N'empêche que Sébastien est profondément malheureux et que c'est avec toi qu'il pourrait peut-être s'en sortir. Ou plutôt avec Jeanne, devrais-je dire.

— Jeanne ?

Cette fois-ci, Thomas planta résolument son regard dans celui d'Armand.

— Je ne comprends pas, gronda-t-il d'une voix grave. D'abord, vous achetez une toile en disant que nous allons la regarder avec les yeux de Jeanne. Puis maintenant, vous voulez la faire intervenir dans la vie de notre fils. Jeanne est morte, Armand ! L'auriez-vous oublié ? Morte ! Elle ne peut plus rien pour nous. Je ne comprends pas ce que vous cherchez à faire. À quel jeu jouez-vous avec moi ? Vous ne savez donc pas que c'est encore terriblement sensible de penser à elle ?

— Comme ça l'est pour Sébastien, je sais. Loin de moi l'idée de te faire souffrir, de vous faire souffrir. Je comprends très bien ce que vous ressentez puisque moi aussi...

Un long soupir tremblant mit un terme à cette confession. Il poursuivit sur une autre lancée :

— Pourtant, c'est bien ce que j'ai cru comprendre et sans toi, je ne sais comment... Tiens, regarde !

Glissant une main légèrement tremblante dans la poche de sa chemise, Armand en ressortit un papier froissé. À voir les plis grisâtres qui marquaient les deux feuilles, Thomas comprit sans la moindre hésitation que cette lettre avait été consultée à maintes reprises. Car il s'agissait bien d'une lettre. Il avait reconnu le papier de Jeanne. Il secoua vigoureusement la tête quand Armand la lui tendit.

—Non! Ce qui est écrit sur ce papier ne m'appartient pas.

—Je sais.

La voix d'Armand avait retrouvé son intonation coutumière, à la fois catégorique et affectueuse.

—J'ai lu toutes ces lignes assez souvent pour savoir que c'est à moi que Jeanne s'adresse. À moi et à personne d'autre.

Thomas remarqua qu'Armand venait d'employer le présent pour parler de Jeanne. Comme si elle était toujours là, parmi eux. Cette fois-ci, il ne put retenir les quelques larmes qui mouillèrent le coin de ses yeux.

—Par contre, poursuivait le vieil homme sans tenir compte de la réaction de Thomas et tout en dépliant les feuilles avec précaution, Jeanne fait référence à toi sans que je comprenne exactement où elle veut en venir. Toi seul pourrais peut-être m'expliquer...

Armand tendit la lettre une seconde fois. Devant la négation de Thomas qui s'entêtait, devant surtout son regard embué qui serait incapable de déchiffrer les mots, le vieil homme ramena le papier vers lui.

—Si tu ne veux pas lire ce passage toi-même, je vais le faire pour toi... Voilà, c'est ici: «Si malgré ces mots, mon départ t'était trop pénible, demande à Thomas de t'aider. Il saura peut-être quoi faire et comment le faire.»

Un long silence compléta cette brève lecture. Puis, dans un murmure, Armand ajouta :

— Je ne comprends pas à quoi Jeanne fait référence. Ces quelques mots, elle les a écrits après m'avoir confié son ultime décision. Elle m'a demandé de respecter cette décision, je l'ai fait. Elle m'a demandé la discrétion la plus absolue et j'ai gardé le secret. Puis elle a écrit ces mots. Son départ m'a été pénible, c'est vrai, et il l'est encore. Néanmoins, j'arrive à conjuguer avec le quotidien, une journée après l'autre. Voilà pourquoi je n'ai jamais songé à cette aide dont elle parle. Une aide qui viendrait de toi. Par contre, pour Sébastien, peut-être que ça serait utile. Je ne sais pas...

Armand secoua la tête avec une grande sollicitude dans le geste et une visible tendresse dans le regard.

— Je ne sais pas de quoi Jeanne veut parler ! Comment concevoir, alors, si ce conseil pourrait convenir à Sébastien ? Ce que je sais, par contre, c'est que Jeanne lui manque terriblement.

— Je m'en doute un peu. Sébastien ressemble tellement à sa mère.

— Alors ? Cette aide ?

Thomas s'essuya longuement le visage du plat des deux mains avant de relever les yeux vers Armand.

— Jeanne doit parler du journal qu'elle m'a laissé, expliqua-t-il dans un souffle. Je ne vois pas autre chose. C'est le journal de toute une vie, vous savez. Ça m'a fait un bien immense de le lire même si au départ j'étais hésitant. Peut-être songeait-elle que ça pourrait aider les autres aussi et c'est ce qu'elle a voulu dire par ces quelques mots. Jeanne a commencé ce journal au décès de sa mère et elle lui a été fidèle jusqu'au dernier jour.

Les derniers mots de Thomas furent écorchés par sa voix rauque, remplie de sanglots. Il inspira longuement avant de poursuivre.

— Comme je l'ai pensé au moment de commencer ma lecture, si Jeanne n'a pas détruit toutes ces confidences faites au papier et à l'ordinateur, c'est sûrement qu'elle était prête à les partager avec nous. Par contre...

Sans poursuivre, Thomas porta les yeux au loin. Un gros cargo disparaissait lentement à l'horizon, et il s'obligea de le fixer jusqu'à ce qu'il ne soit plus qu'un tout petit point suivant la ligne de l'eau. Après un bref silence, ce fut Armand qui prit la relève, là où Thomas s'était arrêté.

— Par contre, confier ce journal à d'autres, c'est accepter de lever le voile sur votre secret.

— Sur ce que je croyais être notre secret, rectifia Thomas en soupirant. De toute évidence, il n'en était rien, puisque vous avez été mis dans la confidence. Et c'est très bien ainsi, ajouta-t-il précipitamment en voyant les doigts tavelés se crisper sur le pli du pantalon. Ce qui existait entre Jeanne et vous ne m'appartient pas. Ce lien privilégié était là bien avant que j'entre dans la vie de Jeanne.

— Merci de le dire...

Armand appréciait cette petite mise au point malgré l'amertume qu'il y avait dans la voix de Thomas. Cette aide que son gendre avait apportée à Jeanne au moment du décès de celle-ci devait terriblement lui peser. Armand se dit alors que la lecture du journal de sa fille serait tout aussi bénéfique pour le père que pour le fils. Se libérer de ce lourd secret aiderait sûrement Thomas à reprendre pied dans sa propre vie.

— Alors? Pour Sébastien?

— Je ne sais trop... Ça implique tellement de choses, n'est-ce pas?

Thomas échappa un long soupir qu'Armand sentit rempli d'inquiétude et d'indécision.

— Si vous commenciez par me dire ce qui se passe vraiment dans la vie de mon fils? demanda alors Thomas. Peut-être que ça m'aiderait à voir clair et à prendre la bonne décision.

Tout en parlant, Thomas avait relevé les genoux qu'il entoura de son bras. Alors, arrachant un long brin de foin, il le glissa entre ses dents et ramena impulsivement les yeux sur l'horizon. Son beau-père avait raison: l'île d'Orléans était un vrai coin de paradis. Puis, avec un enthousiasme qu'il était loin de ressentir, Thomas ordonna:

— Allez-y, Armand! Je suis prêt à vous écouter.

Chapitre 7

« Quand tu le voudras, tu pourras lire tout ce que j'ai inscrit au fil des années. C'est ce qu'il y a dans la boîte dont je viens de parler. Tu peux tout lire. Toi ou les enfants, comme tu choisiras. Ces mots qui sont les miens sont aussi les tiens. Ils nous appartiennent. Quand je ne serai plus là, ils n'appartiendront plus qu'à toi. »

Passage de la dernière lettre de Jeanne à Thomas.

Cette boîte dont Jeanne parlait dans sa lettre, Thomas l'avait présentement entre les mains. Profitant de ce que Simone et son père étaient partis faire les courses, il l'avait extirpée de la grosse valise rangée au sous-sol et l'avait portée à la cuisine. Thomas se savait seul pour au moins deux heures.

Cette boîte et les mots qu'elle contenait, c'était sa vie avec Jeanne et celle de leur famille. C'était l'âme de Jeanne, en quelque sorte, et Thomas ne voyait pas en quoi tous ces billets auraient pu concerner Simone. C'est pourquoi, plutôt que de susciter des questions qui n'auraient droit qu'à des réponses évasives, il avait préféré cacher son trésor au sous-sol.

De toute façon, il s'était juré de ne jamais y revenir.

Pourtant, en ce moment, assis à la table d'une cuisine qu'il ne voyait pas encore comme étant la sienne,

Thomas avait envie de tout relire. Une tentation si brutale, si essentielle, qu'elle lui faisait trembler les mains et débattre le cœur.

C'était comme si Jeanne lui donnait un ultime rendez-vous. Après, quand Sébastien aurait tout lu à son tour, l'intimité serait rompue.

Parce que Thomas savait, depuis le premier instant des confidences d'Armand, qu'il confierait la boîte à son fils. C'était dans la continuité de ce que Jeanne avait été pour sa famille et pour ses enfants. Lui, Thomas, n'avait pas le droit d'empêcher le miracle de se produire encore une fois.

Quoi qu'il en soit, au-delà de sa propre volonté, n'était-ce pas ce que Jeanne elle-même lui avait demandé en écrivant qu'elle lui permettait de donner tous ces papiers aux enfants ? Malgré l'intimité de certains passages, malgré le terrible secret qu'ils allaient y découvrir, Jeanne avait laissé toute liberté à Thomas.

À lui de décider ce qu'il ferait de son journal.

— Comme si elle me laissait le choix, murmura Thomas tout en ouvrant la boîte. Le simple fait de me suggérer de confier son journal aux enfants dit tout ! Ça ressemble étrangement à Jeanne, ça ! Ne rien obliger, mais fortement conseiller.

Ces derniers mots arrachèrent un sourire à Thomas en même temps qu'il se rappelait les quelques phrases qu'Armand lui avait lues l'autre jour.

« *Si malgré ces mots, mon départ t'était trop pénible, demande à Thomas de t'aider. Il saura peut-être quoi faire et comment le faire.* »

Jeanne avait bien assuré ses arrières !

— Rien de mieux que de mettre son père dans la confidence pour arriver à ses fins. À partir de là, je n'ai plus vraiment le choix.

Thomas aurait pu se sentir piégé ; au contraire, il se sentait libéré. Si c'était vraiment la volonté de Jeanne, il n'avait plus qu'à s'incliner. Tant pis pour les conséquences : son amour pour elle irait jusque-là.

Et tant mieux si Sébastien y puisait un certain réconfort.

Mais auparavant, Thomas se réservait le droit de tout relire.

Prenant la boîte, il la porta alors dans la malle arrière de son auto.

Cela lui prit plus de trois longues semaines pour passer au travers des cahiers et des disquettes. Presque un mois durant lequel Simone, le cœur inquiet, se demandait où Thomas pouvait bien filer dès qu'il faisait beau et pas trop froid, parce que maintenant l'automne s'était installé pour de bon avec ses pluies fréquentes et ses journées de vent frisquet. Pourtant, peut-être à cause de cette distance qu'elle sentait entre eux, elle n'osa questionner.

Puis, après un bref séjour à Québec, décidé à l'emporte-pièce, au matin d'une journée sombre et pluvieuse, Thomas cessa brusquement ses escapades et se mit à parler des photos qu'il faudrait prendre pendant que les arbres étaient à leur plus beau.

— Et j'aimerais bien aller cueillir des pommes maintenant que le soleil est revenu... J'adore les pommes fraîchement cueillies, toutes gorgées de soleil, tièdes et sucrées!

— Wow! Quel lyrisme!

— C'est ça, moque-toi! Alors? Tu en parles à ton père? Il pourrait venir avec nous. Demain, par exemple, parce qu'aujourd'hui, j'ai promis à mes petits-fils d'élargir le périmètre de nos recherches. On fait donc la tournée des animaleries en banlieue. L'est de Laval, Terrebonne, Mascouche, Repentigny... De toute évidence, on en a pour une bonne partie de la journée, les bébés chats noir et blanc ne courant pas les rues! Ça fait plus d'un mois qu'on cherche!

C'était le Thomas d'avant, plus souriant, plus calme, celui qui savait s'enthousiasmer devant la perspective d'acheter un chaton ou celle d'aller cueillir des pommes.

C'était le Thomas que Simone avait appris à aimer.

Alors, elle oublia les dernières semaines et se permit de croire à nouveau en l'avenir.

Après tout, ils n'étaient peut-être pas trop vieux pour apprendre à vivre ensemble.

— D'accord pour demain, approuva-t-elle en l'embrassant sur la joue. Je suis certaine que papa va être heureux de ta proposition.

Armand aussi, à l'autre bout des autoroutes, était un vieil homme heureux. Depuis que Thomas avait apporté la boîte des confidences de Jeanne, il priait tous les soirs pour que Sébastien y découvre le réconfort dont il avait tant besoin.

— Vous aussi, Armand, vous pouvez lire le journal de

Jeanne, avait proposé Thomas avant de repartir pour Montréal. Maintenant que je me suis fait à l'idée que tout le monde pouvait le lire...

— Pas tout le monde, Thomas, pas tout le monde! avait rétorqué finement Armand, un index sentencieux pointant vers le plafond. Uniquement ceux qui l'aimaient auront droit à ses confidences. Et encore! Pour l'instant, nous parlons de Sébastien, n'est-ce pas? Et peut-être moi aussi, avait-il formulé dans la même foulée, tout hésitant. Mais j'avoue que je ne suis pas certain. Je suis terriblement indécis face à cette possibilité.

— Comme je l'étais.

Sébastien aussi avait eu le même réflexe quand, embarrassé, Thomas avait frappé à la porte de sa chambre.

— Le journal de maman? avait demandé le jeune homme d'une voix étranglée dès l'instant où il avait compris le but de la visite de son père et le contenu de la boîte qu'il lui tendait.

Il avait hésité avant de prendre cette ancienne boîte à chaussures pour finalement la tenir à bout de bras, comme si elle était dangereuse. Puis, d'une seule traite, avant même que Thomas ait eu le temps de confirmer, il avait ajouté:

— Pourquoi moi?

— Peut-être parce que tu en as besoin, avait suggéré Thomas.

— Ah oui?

— Du moins, c'est ce que ton grand-père m'a laissé entendre.

— Grand-père a dit ça ?

— Oui... Je te la confie peut-être aussi parce que tu lui ressembles tellement.

— À qui ? À maman ?

— Tout à fait et beaucoup... dans ce qu'elle avait de meilleur.

Sébastien s'était aussitôt mis à rougir.

— Ça me touche que tu me dises ça.

— C'est tout simplement vrai. Je ne dis pas ça pour te faire plaisir ou te flatter...

Les deux hommes étaient alors restés l'un face à l'autre, silencieux. Puis Thomas avait reculé d'un pas.

— Maintenant, je te laisse. Tu liras ou pas, c'est à toi de choisir. Si tu décides de lire, il faut que tu saches que tout n'est pas facile à accepter. En plongeant dans les écrits de ta mère, c'est à son intimité la plus secrète que tu vas toucher. C'est la partie cachée de son âme que tu vas découvrir.

— Ça me fait peur.

— Ça m'a troublé, moi aussi. Au début. Puis on se laisse prendre par l'authenticité des mots, comme Jeanne savait si bien les dire, et finalement, on a l'impression que c'est elle qui nous parle.

— C'est tentant...

Le regard de Sébastien passait de son père à la boîte qu'il tenait maintenant tout contre sa poitrine.

— Mais j'hésite encore.

— Commence alors par relire la lettre qu'elle t'a laissée, avait conseillé Thomas, se rappelant fort bien comment lui-même s'était senti en découvrant les cahiers de Jeanne. Comme je la connais, ta mère a dû y glisser une invitation à la suivre. Une invitation toute personnelle probablement cachée entre les mots, entre les lignes.

— C'est vrai que ça serait son genre, avait murmuré Sébastien en esquissant un sourire ému.

Puis, dans un grand élan du cœur, il avait dit :

— Merci pour ta confiance, papa. Je ne sais pas encore ce que je vais faire, mais je te dis merci quand même.

Thomas s'était alors contenté de hausser les épaules, mal à l'aise. Les grandes effusions, ce n'était pas son genre. C'était celui de Jeanne.

Et de Sébastien.

Thomas avait alors tourné les talons sans même parler de la découverte que son fils ferait en fin de lecture. Cette décision de Jeanne de mettre un terme à ses souffrances et lui qui l'avait accompagnée dans sa démarche...

Un long frisson avait secoué les épaules de Thomas à l'instant où il attaquait le long escalier de bois verni.

C'est lui qui avait aidé Jeanne à mourir comme et quand elle l'avait décidé, et elle en parlait abondamment dans son journal.

Thomas aurait voulu être capable d'avertir son fils, lui expliquer ses motifs, mais les mots ne passaient pas.

Il s'en était alors remis à Jeanne. Si Sébastien lisait jusqu'au bout, ce serait Jeanne elle-même qui fournirait les explications.

Thomas était reparti vers Montréal tentant de toutes ses forces de laisser les questions et les angoisses derrière lui. Il s'était alors jeté à corps perdu dans le quotidien et les petits projets pour oublier qu'à Québec, il avait un fils qui bientôt saurait ce qui s'était vraiment passé en ce matin de septembre où Jeanne les avait quittés. C'est pour cette raison, un certain matin d'octobre, qu'il avait demandé :

— On va aux pommes, Simone ?

La boîte était cependant restée quelques jours sur le coin du pupitre de Sébastien. Il était incapable d'en soulever le couvercle, au même titre qu'il n'arrivait toujours pas à relire la lettre que Jeanne lui avait écrite. Une sorte de trac lui tordait l'estomac.

Ce fut le regard de son grand-père Armand, chargé d'interrogations, qui le décida à faire le premier pas. Nul doute que le vieil homme se demandait si Sébastien avait commencé à lire, et comme celui-ci, tout bien considéré, s'était promis de le faire un jour...

— J'emporte mon café dans ma chambre, souligna-t-il en se levant de table en ce samedi d'octobre plutôt maussade. Laisse la vaisselle dans l'évier, je m'en occuperai plus tard.

Armand le regarda s'éloigner, croisant les doigts, espérant que cette journée serait enfin la bonne.

Sébastien referma soigneusement la porte derrière lui. Il voulait être seul pour plonger dans l'univers de sa mère. Après, quand il aurait tout lu, il en discuterait, il se confierait. C'était dans sa nature de le faire. Tout comme sa mère, Sébastien avait besoin d'exprimer ses émotions, de les extérioriser, de se vider le cœur quand celui-ci était trop lourd. Dans la suite logique des choses, son grand-père serait fort probablement son confident privilégié.

Sous une pile de chandails, là où il l'avait cachée des années auparavant, Sébastien retrouva la lettre de sa mère. Tout comme il l'avait dit à son grand-père, il ne l'avait lue qu'une seule fois, le visage inondé de larmes, le cœur en lambeaux. Jeanne venait tout juste de mourir, alors que lui, il aurait tant souhaité qu'elle passe auprès d'eux quelques mois de plus. Il avait espéré au moins un dernier Noël ensemble.

Ce dernier souhait n'avait pas été exaucé. Malgré les apparences, le cancer devait être plus avancé qu'il l'avait cru, car Jeanne les avait tous pris par surprise. Le dimanche, elle était là avec eux, à partager le souper. Le lundi, tout était fini.

La douleur n'en avait été que plus grande.

Contrairement à la lettre d'Armand, chiffonnée et marquée à force d'avoir été lue et relue, celle de Sébastien était intacte, comme Jeanne l'avait elle-même glissée dans l'enveloppe.

Le temps d'une dernière hésitation, d'une profonde inspiration et Sébastien déplia les deux feuillets.

«*Mon beau, mon tendre Sébastien*»,

Le jeune homme avait déjà les larmes aux yeux, se rendant compte qu'il n'avait rien oublié de ce qui allait suivre.

«*Quand tu liras ces quelques mots, je ne serai plus*

là. Ce n'est pas ce que j'aurais souhaité, bien sûr, mais j'ai fini par l'accepter. Avais-je le choix ? Il va falloir que tu en fasses autant, mon grand, si tu veux que la vie, que ta vie garde tout son sens. C'est en acceptant le fait indiscutable que la mort est partie intégrante de notre cheminement qu'on peut atteindre la sérénité. Ça m'a pris du temps pour le comprendre, bien des larmes aussi, mais aujourd'hui, c'est fait. Sache que je n'ai aucun regret, sinon celui de vous laisser derrière moi. Par contre, ce qui me sécurise dans tout ça, c'est que j'ai appris, au fil des derniers mois, à vous faire confiance. Une confiance absolue. À vous, maintenant, d'en faire autant et de croire en vous.

Mais assez parlé de moi...

C'est de toi dont j'ai envie de m'entretenir. C'est à toi que je veux adresser ces derniers mots et c'est à toi, à vous trois, mes enfants que j'ai tant aimés, que je vais penser quand je fermerai les yeux pour la dernière fois. C'est votre image qui sera la dernière, celle que j'espère emporter avec moi pour l'éternité. Vous êtes mon éternité.

Tu n'as pas choisi la voie facile pour être heureux, je te l'ai déjà dit. L'homosexualité est encore aujourd'hui un sujet tabou. Cependant, ce matin, j'aurais envie d'ajouter que je te sais assez fort pour surmonter les embûches que la vie sèmera sous tes pas. Parce qu'il y en aura, de ces cailloux pointus qui blessent la plante des pieds, il faut t'y attendre. Nous connaissons tous des moments difficiles où plus rien n'a de sens, et cela, *quels que soient nos choix et nos priorités. Mon cancer en était un de taille et pourtant, j'ai la conviction que j'en sors gagnante. Curieux, n'est-ce pas, puisque je vais en mourir? Peut-être est-ce parce que j'ai découvert en moi une force insoupçonnée qui m'a aidée à aller de l'avant. Je sais que toi aussi, tu possèdes cette même force. Ta manière d'être, tes paroles et ton sens de l'écoute en sont la preuve éloquente. En cas de besoin, cherche-la, cette force en toi, tu vas finir par la trouver.*

Nous avons en commun, toi et moi, un cœur grand comme le monde. Loin de moi la prétention de le dire, je constate, c'est tout. Dans un sens, c'est un don du ciel, car il nous permet de beaucoup aimer. Mais c'est aussi un couteau à double tranchant puisqu'il nous fait parfois beaucoup souffrir. Ne laisse pas dégénérer les grands chagrins en désespoir. Ne les laisse surtout pas te dominer, car ils finiraient par devenir amertume, ressentiment et colère.

La vie est trop courte pour en gâcher le moindre instant, crois-moi!

Mais voilà que je te dis encore quoi faire et comment le faire... Je suis incorrigible, n'est-ce pas?

L'important, en ces derniers instants entre nous, ce n'est pas de te dire comment agir, c'est de te répéter combien je t'aime. Encore et encore. Te murmurer affectueusement que tu as été un fils merveilleux de douceur et de tendresse. Tu as été mon bébé-doux, mon bébé-câlin. Reste celui que j'ai tant aimé, Sébastien. Garde cette belle sensibilité qui est la tienne même si par moments, elle te fait pleurer. Et si par un vilain hasard la vie se permettait d'être trop dure avec toi, pense à moi. J'ose croire que je ne serai pas trop loin. Et si malgré ça, tu n'y arrivais pas, parles-en à ton père. Peut-être bien que lui, il aura la solution à tes maux. Tu peux lui faire une confiance absolue, c'est le meilleur des maris et le plus merveilleux des pères.

Il est surtout un homme d'une grande valeur morale. Tout ce que Thomas a fait dans sa vie, et je dis bien tout, il l'a fait avec amour et générosité. Ses conseils vaudront mille fois les miens, sois-en assuré.

C'est en te confiant à lui que je vais terminer. Nous avons été un couple uni, Thomas et moi, ne l'oublie jamais. Alors, quand ton père te parlera, c'est un peu en mon nom qu'il le fera.

Quoi qu'il dise et quoi que tu puisses en penser, écoute-le.

Je t'aime, Sébastien, du plus profond de mon cœur et d'aussi loin que l'éternité, je t'aime.

Maman »

Sébastien termina sa lecture le visage inondé de larmes. Il y voyait à peine. Du revers de la main, il essuya ses yeux. Tout au long de sa lecture, il avait eu l'impression d'entendre la voix de sa mère lui lisant cette lettre. Il en était bouleversé.

Il avait surtout la formidable envie de continuer à l'entendre.

Le geste fut presque machinal, instinctif, et Sébastien

tendit la main pour saisir la boîte à chaussures. Sans attendre, il en souleva le couvercle.

Quelques cahiers, comme ceux qu'utilisent encore les écoliers, quelques disquettes.

Il fut surpris. C'était bien peu de choses pour raconter toute une vie.

Du bout des doigts, Sébastien souleva un cahier, repoussa une disquette.

Voilà à quoi ressemblait la vie de Jeanne Lévesque. C'était presque rien, mais en même temps, n'était-ce pas là la plus merveilleuse façon de rester en contact avec elle ?

Sébastien comprit immédiatement que dans la chronologie de ces écrits, il lui fallait commencer par les cahiers. Il vérifia les dates, saisit le journal intime, et s'installant dans son lit, le dos bien appuyé contre les oreillers, il commença sa lecture.

En quelques minutes, la voix de Jeanne aidant, il avait oublié la pluie qui piochait avec insolence sur sa fenêtre et l'heure qui s'égrenait inexorablement à son cadran.

Il était avec sa mère, mais il avait oublié qu'elle était sa mère. D'une page à l'autre, il suivait une gamine qu'il avait envie d'appeler tout simplement Jeanne.

Marie-Jeanne, comme on l'avait prénommée à son baptême. Un nom qu'elle détestait.

Elle n'avait que douze ans. Sa mère venait de mourir et elle était pétrie de chagrin.

Elle parlait avec des mots d'enfant, elle parlait avec son cœur.

Puis elle eut treize, quatorze, quinze ans.

Sébastien ayant la chance d'habiter la maison où Jeanne avait vécu, une maison dont elle parlait à profusion dans ses confidences, il avait la possibilité de voir clairement les pièces, d'imaginer les scènes sans la moindre difficulté. Alors, il avait la sensation de l'accompagner. Il y avait un cinéma dans sa tête et il prenait plaisir à regarder le film qu'on y projetait, conscient que celle qui y tenait le rôle principal aurait pu facilement devenir une amie.

Maintenant, Jeanne avait dix-huit ans.

« Il s'appelle Thomas. »

Une page couverte de cœurs rouges.

L'écriture se faisait plus réservée, les confidences moins expansives. Une certaine pudeur enrobait les mots, et cette discrétion ressemblait à Sébastien quand il était amoureux.

Il se cala dans l'oreiller, incapable de s'arrêter, retrouvant ses propres émotions d'adolescence à travers celles de Jeanne.

L'amour restera toujours l'amour.

Une semaine, un mois, six mois... Au fil des pages, il n'y avait plus que le nom de Thomas.

Après cette rencontre fortuite, il n'y eut plus jamais d'autres noms d'hommes dans le journal de Jeanne.

Sébastien leva les yeux. Il enviait cette Jeanne qui allait devenir sa mère. Lui aussi, à sa façon, il avait toujours rêvé d'un amour exclusif.

Et peut-être aussi d'une famille.

La journée passa sans que Sébastien sorte de sa chambre. Du salon, Armand l'avait entendu se moucher, un bruit qui témoignait des larmes de son petit-fils, et son cœur s'était inquiété.

L'exercice était donc si douloureux ?

Néanmoins, par moments, il l'avait aussi entendu rire. Alors, le vieil homme avait souri.

Peut-être bien, après tout, qu'il finirait par se décider et lire le journal de sa fille.

Vers quatre heures, tandis que le ciel commençait déjà à s'assombrir et qu'il fallut faire un peu de clarté en allumant quelques lampes, le jeune homme vint rejoindre son grand-père au salon. Si le visage gardait les stigmates de ses pleurs, en stries blanchâtres sur les joues mal rasées, le regard, lui, semblait calme, apaisé.

— Ça m'a fait du bien, avoua-t-il tout simplement en prenant place dans un fauteuil.

Sans ajouter autre chose, Sébastien se pencha et il tendit les mains vers l'âtre, invité par une confortable flambée.

Armand respecta le silence de son petit-fils malgré la curiosité qui le dévorait. Il était conscient qu'il y a certaines choses dans la vie qu'on ne peut faire par personne interposée. Lire le journal de Jeanne en était peut-être une. Chacun doit y trouver ce qu'il veut bien y trouver, et l'expérience de Sébastien ne valait que pour lui.

Cependant, après quelques instants d'intériorité, tandis qu'un sourire taquin glissait furtivement sur ses lèvres, le jeune homme demanda :

— Savais-tu, toi, que maman avait eu de nombreux amoureux ?

L'hésitation d'Armand fut de courte durée. À quoi servirait son silence ? Et tant mieux si Sébastien entrouvrait la porte des confidences de Jeanne.

— Oui, je savais, admit-il d'une voix ferme. Pourquoi penses-tu que j'étais si sévère avec elle à l'adolescence ? Car si elle a parlé de ses amis, elle a dû aussi parler de ma proverbiale sévérité, non ?

— Tout à fait…

De furtif, le sourire de Sébastien devint malicieux quand il tourna son regard vers son grand-père.

— Ses propos n'étaient pas toujours tendres à ton égard, tu sais !

Armand haussa les épaules avec résignation.

— Je m'en doute un peu, reconnut-il en même temps. Mais je n'avais pas le choix d'agir comme je le faisais. Il ne faut pas perdre de vue que Jeanne n'avait plus de mère à l'âge où elle en aurait eu le plus besoin. J'ai tenté de pallier ce manque le mieux que j'ai pu. Et comme je me rappelais ma propre jeunesse, j'ai cru bon d'être sévère.

— Ce qui laisse entendre que tu n'étais pas tous les jours très sage ! Est-ce que je me trompe ?

— Hé !

Le regard d'Armand pétillait de souvenirs.

— Même si ça peut te sembler difficile à admettre, lança-t-il alors, j'ai déjà été jeune, moi aussi.

À ces mots, une belle complicité se glissa entre le vieil homme et le plus jeune.

— Ta mère aimait l'amour, expliqua enfin Armand d'une voix empreinte de gravité, adoucie cependant par une petite pointe égrillarde. Elle ressemblait à ma Béatrice sur ce point, ce qui me fait dire que Thomas a sûrement été un homme heureux.

— Grand-père !

Sébastien était gêné d'entendre parler de ses parents sur ce ton.

— Alors quoi, Sébastien ? Votre génération n'a rien inventé, tu sais. De toute façon, même si on le transforme en omelette ou en soufflé, un œuf restera toujours un œuf !

— Ce qui veut dire ?

— Qu'il ne sert à rien de se cacher sous une fausse pudeur ou encore de faux prétextes ! Les choses sont ce qu'elles sont. Tes parents étaient profondément amoureux, dans tous les sens du terme.

Sébastien ne put faire autrement que d'acquiescer.

— C'est vrai.

— Alors, pourquoi ne pas le dire tout simplement ? Et sais-tu le meilleur dans tout ça ? C'est finalement vous trois, les enfants, qui en avez le plus profité. Rien de mieux pour une famille que des parents qui s'aiment... Et maintenant, si nous passions à la cuisine ? Ne sens-tu pas une bonne odeur de poulet rôti te chatouiller les narines ?

Sébastien leva le nez et inspira bruyamment.

— Maintenant que tu le dis... Effectivement, ça sent rudement bon, remarqua-t-il sur un ton gourmand.

Avant d'ajouter en fronçant les sourcils :

— Depuis quand sais-tu cuisiner, toi ? Un poulet, on ne rit plus ! On ne parle pas de sandwich, ici !

— C'est que tu ne sais pas tout de moi, jeune homme ! Loin de là. Ça ajoute du piment à la vie, ces petites découvertes imprévues.

Tout en parlant, bien appuyé sur sa canne, Armand avait réussi à se relever sans aide.

— Et maintenant, suis-moi ! On a des pommes de terre à peler. Rien de mieux qu'une bonne purée pour accompagner le poulet !

Sébastien n'eut d'autre choix que de suivre son grand-père à la cuisine, et la journée se termina paisiblement au coin du feu sans que le nom de Jeanne revienne hanter leur conversation.

À travers les cours à donner et les corrections à faire, Sébastien mit un bon mois pour passer à travers les disquettes laissées par Jeanne. Il faut dire que sa lecture se faisait plus lente. Les mots ne se rapportaient plus uniquement à une jeune femme qu'il n'avait pas vraiment connue. Ils désignaient maintenant sa famille. Olivier et Mélanie étaient bien présents dans les écrits de Jeanne. Tout comme lui. Leurs facéties d'enfants, puis d'adolescents, émaillaient régulièrement les confidences de sa mère.

Sébastien était réellement triste quand il constatait à quel point, en certaines occasions, Jeanne avait été blessée par leurs agissements inconsidérés ou leurs propos déplacés.

«*Je ne pensais jamais que je puisse autant pleurer en une seule fois! J'ai eu tellement mal de me faire dire de me mêler de mes affaires. D'oser prétendre que je ne l'aimais pas. Comment peuvent-ils penser ça? Je les aime tellement! Il me semble que c'est facile à voir, non?*»

Quand on dit que les enfants peuvent parfois être méchants...

Par contre, Jeanne ne leur en a jamais voulu. Ni pour les mots ni pour les comportements. Elle trouvait toujours des excuses valables, des explications plausibles.

«*J'aurais dû mieux expliquer, aussi! C'est de ma faute. Moi et ma manie de toujours répliquer trop vite!*»

Petit à petit, les anecdotes s'étaient faites souvenirs et les images s'étaient greffées aux mots de Jeanne. Sébastien revoyait leur maison, sa chambre, la cuisine.

«*Olivier a choisi de faire sa médecine, comme Thomas. Je suis tellement fière de lui.*»

Un peu plus loin, elle parle des jumeaux.

«*Je ne sais plus si l'appellation va durer encore bien longtemps. Je sens Mélanie se crisper quand j'ai le malheur de l'employer. Je vais devoir faire attention aux mots que j'emploie...*»

Et un peu plus loin, elle ajoute:

«*Finalement, je n'aurai plus vraiment à faire attention! Sébastien vient de nous annoncer qu'il voulait poursuivre ses études à Québec. Je ne comprends pas. Pourquoi? N'est-il pas bien ici avec nous? J'ai tellement le cœur gros! Une chance que papa a accepté de le prendre chez lui sinon je serais morte d'inquiétude. Il me semble si fragile, encore, mon grand Sébastien. À peine dix-sept ans! C'est presque un enfant, encore. Et que dire de Mélanie? Je ne sais trop comment elle va s'habituer à l'absence de son frère. Ils ont toujours été tellement proches l'un de l'autre, ces deux-là!»*

Sébastien leva les yeux. Il se souvenait fort bien de cette époque. Mélanie n'avait pas tant souffert de son absence, et lui, il avait pu vivre son homosexualité sans crainte d'être stigmatisé de quelque façon que ce soit. Il avait tellement peur d'avouer son attirance aux siens. Tellement peur d'un rejet...

Quelques souvenirs se firent plus précis puis, lassé de revoir un moment de sa vie un peu dissolu, Sébastien reprit sa lecture.

D'une anecdote à l'autre, les années passèrent et ce fut enfin celle de la retraite et de la serre.

«Wow! Qui l'eût cru? Une serre à moi, juste à moi! Et que dire de la retraite, sinon wow et rewow!»

Accoudé à son pupitre, Sébastien faisait défiler les pages du bout du doigt.

Il ne restait plus qu'une seule disquette à lire. Le jeune homme espérait en venir à bout durant la fin de semaine, bien qu'il sache pertinemment que cette dernière disquette ne serait pas facile à lire. La maladie de Jeanne avait bien commencé au moment où la serre avait été construite, non?

En soupirant, Sébastien éteignit l'ordinateur et rejoignit son grand-père au salon. Dans moins d'une heure, il serait temps de l'aider pour monter à sa chambre.

Le lendemain matin, ce fut accompagné du silence particulier d'une première neige que Sébastien inséra la dernière disquette. Tout comme il le faisait avec un bon livre, il avait l'intention d'étirer ses dernières heures de lecture. Quand il aurait fini, la voix de Jeanne s'éteindrait en même temps que son ordinateur et il n'était pas pressé d'en arriver là.

Si Jeanne avait été discrète face à sa famille en ce qui concernait sa maladie, le ton employé pour en parler dans ses écrits était tout autre. Colère, rage, peur, désespoir, déni se succédaient en un rythme infernal au fil des jours.

« Si on me demandait comment je me sens, il n'y aurait peut-être qu'une seule chose à répondre.

J'ai peur de mourir... »

Est-ce cette peur qui avait alimenté le courage de Jeanne ? Peut-être. La peur et l'espoir. Alors, Jeanne s'était battue de toutes ses forces. L'opération et la chimiothérapie. La douleur et les faiblesses. Les nausées et la perte de ses cheveux. Jeanne a tout enduré parce qu'elle aimait la vie et les siens. Elle le dit, elle le répète. Elle garde l'espoir que tout va redevenir comme avant. En vain. Il y eut ce jour où l'espoir ne fut plus permis.

« Pourquoi ? Pourquoi moi et maintenant ?

Ce matin, j'ai vu un reportage sur Félix Leclerc. Pendant plus d'une heure, je l'ai vu vivant, jeune, poète. Son œuvre lui survit aujourd'hui. Sa poésie reste source d'inspiration même si elle est teintée de nostalgie.

*De moi, que restera-t-il ? Pourquoi vais-je mourir ?
Pourquoi maintenant ? Je ne suis pas prête, mais peut-
on l'être un jour ? Gilles m'a dit que la mort s'appri-
voisait, mais j'ignore comment...*

*J'ai peur. J'ai beau essayer de me convaincre du
contraire, j'ai peur de n'être plus qu'un souvenir qui
pâlira avec le temps, comme ma mère est devenue pour
moi un fantôme figé dans le passé. Trop longtemps, je
n'ai gardé d'elle qu'une image qui a hanté ma vie, celle
de la souffrance et de la résignation...*

*Je ne veux pas que mes enfants gardent de moi un
souvenir amer.*

*Alors, je vais écrire. Je vais leur écrire. Ce sera ma
façon à moi d'échapper au désespoir. Savoir qu'un jour
Thomas et les enfants liront ces quelques lignes me
permet d'entretenir l'idée que je continue à bâtir du
futur. »*

Sébastien dut interrompre sa lecture. Les yeux remplis de larmes, il ne voyait plus rien à l'écran.

Ainsi donc, sa mère avait écrit toutes ces pages dans
l'espoir que sa famille puisse les lire un jour. C'était pour
elle le lien qu'elle avait choisi de tisser entre les deux
mondes qui seraient désormais les leurs.

Pourquoi, alors, son père avait-il tant tardé avant de
leur confier son journal ? Était-ce Armand qui avait réussi
à le convaincre de le faire ? Si oui, c'est peut-être qu'il
était au courant de l'existence du journal. L'avait-il même
déjà lu ?

Peut-être...

— Non, murmura Sébastien en s'essuyant le visage. À la lumière de notre discussion de l'autre soir, grand-père n'a rien lu. Mais sait-on jamais...

C'est la tête remplie d'interrogations que Sébastien reprit sa lecture.

« *Je vais utiliser les mots pour créer des images qui sauront peut-être simplifier mes pensées pour les rendre accessibles et éloquentes. Ce sera une partie de l'héritage que je laisserai à ceux que j'aime. Je vais m'offrir ce temps d'écriture pour créer un lien avec les miens. Un lien qui me survivra et qui restera vivant.*

J'aurais aimé que ma mère y pense et me laisse quelques mots qui auraient pu apaiser ma peine. Quelques mots que j'aurais lus et relus en imaginant sa voix qui les redisait pour moi. Uniquement pour moi.

Maman, comment as-tu fait pour continuer de sourire? Moi, je ne sais pas. Je me souviens de ton sourire. Tu l'as gardé jusqu'à la fin. Toute ma vie, j'ai pensé à toi en me disant que tu t'étais résignée. Aujourd'hui, je comprends que ce n'était pas de la résignation. C'était du courage. Seul un être courageux peut sourire devant la mort.

Et moi, je ne veux pas mourir. »

Encore une fois, Sébastien dut cesser sa lecture. Toutes les interrogations qu'il formulait s'emmêlaient aux mots qu'il lisait, brouillant ainsi la voix de Jeanne, et ça lui était désagréable.

Le jeune homme fut tenté de descendre à la cuisine pour y retrouver son grand-père. Ce dernier aurait peut-être des réponses à fournir, des explications à donner. Mais en même temps, Sébastien avait l'intuition que s'il poursuivait sa lecture, les réponses viendraient d'elles-mêmes.

Viendraient de Jeanne.

Le temps de délier son cou et ses épaules et Sébastien reprit sa lecture.

Par la suite, ce furent des mois de mieux-être, comme si la santé avait repris le dessus. C'était à cette époque que Jeanne et Thomas avaient décidé de partir pour l'Europe. Sébastien se rappelait ce moment de leur vie familiale avec une grande clarté. Il s'était dit que si ses parents pouvaient partir ainsi, proclamant qu'ils seraient absents durant des mois, c'est que tout allait de mieux en mieux pour sa mère.

Il s'était trompé du tout au tout.

« Je vais mourir.

Cette phrase que j'ai déjà écrite vient de prendre son sens définitif...

Je ne parlerai d'aucune échéance avant de partir pour l'Europe. Ni à mon père ni aux enfants. Ils apprendront bien assez tôt que le temps se compte désormais en semaines pour moi...

Une phrase, lue je ne sais plus où, me revient.

« Vaincre le cancer, c'est dominer l'angoisse. »

Saurai-je y arriver? Où peut-on apprendre à dominer cette angoisse de l'inconnu, de ce qui apparaît comme un grand trou noir devant soi?

Je sais bien qu'il existe des regroupements, des gens

capables de m'aider. Pourtant, je me refuse toujours cette possibilité. Je ne suis pas encore prête à parler de ma mort avec des inconnus. C'est un peu curieux, moi qui suis si facilement volubile avec les étrangers. Pour l'instant, je préfère cheminer en solitaire avec Thomas. Lui seul connaît le pourquoi de notre voyage vers Amsterdam. J'espère trouver là-bas ce que nos lois refusent ici. Après, quand j'aurai obtenu quelques réponses à mes questions, nous pourrons voyager en touristes.

Nous avons pris des billets ouverts. L'ai-je déjà écrit ?

Ainsi, Thomas pourra revenir quand il le voudra.

Moi, je ne sais pas si je reviendrai... »

Cette fois-ci, quand Sébastien leva la tête, ce n'étaient pas les larmes qui l'empêchaient de lire, c'étaient plutôt ses mains qui tremblaient trop pour manipuler les touches du clavier.

« J'espère trouver là-bas ce que nos lois refusent ici. »

Une seule phrase et l'intuition de Sébastien devint certitude. Il pressentait ce qui allait suivre alors que certains souvenirs se précisaient.

« Le droit de mourir dans la dignité. »

Sa mère en avait parlé à quelques reprises durant sa vie. Ils en avaient même discuté en famille, à certaines occasions, et Jeanne avait toujours défendu cette possibilité avec véhémence.

C'était avant la maladie, avant le terrible pronostic.

À partir de là, Jeanne n'en avait plus jamais parlé, et Sébastien s'était dit que devant l'échéance, elle avait changé d'avis.

De toute évidence, ce n'était pas le cas.

Sébastien hésita avant de reporter les yeux sur l'écran de son ordinateur. Allait-il aimer ce qu'il s'apprêtait à lire ?

— Mais ai-je le choix de l'accepter ? murmura-t-il en se frottant longuement les paupières. Si c'est vraiment maman qui l'a décidé ainsi...

Il revoyait le visage de sa mère, sa détermination devant certaines décisions à prendre, son courage devant certains revers, sa manie de toujours mettre son grain de sel un peu partout. Oui, c'était dans le caractère de Jeanne Lévesque de vouloir décider pour elle-même jusqu'au bout. Alors, parce qu'il avait profondément aimé cette femme-là, Sébastien était prêt à la respecter jusque dans ses dernières volontés.

Il reprit sa lecture.

Jeanne et Thomas sont en Europe. Les écrits se font plus rares, sa mère ne devait pas avoir le temps.

Puis, après les Pays-Bas et la Suisse, c'est Paris.

« Petit à petit, je crois que je vais me dépouiller de ces attaches qui n'ont de sens que celui que je voulais bien leur prêter. Mes enfants ne sont pas seulement mes enfants. Ils sont d'abord et avant tout des êtres uniques et indépendants. Ils n'ont pas besoin de moi pour être heureux. Ils n'ont besoin que d'eux-mêmes... »

Encore une fois, le regard de Sébastien abandonna l'écran pour se poser sur le jardin emmitouflé dans sa couette d'hiver. Les chaises de parterre qui avaient servi la semaine dernière encore, pour un ultime café sur la terrasse alors que son grand-père rigolait de se voir enveloppé dans un chaud manteau et de se réchauffer le bout des doigts sur sa tasse, ces mêmes chaises disparaissaient maintenant sous une lourde neige qui ressemblait à une meringue. Le temps de se dire machinalement qu'il allait devoir s'en occuper dans les plus brefs délais et les derniers mots lus revinrent s'imposer.

Sébastien échappa un long soupir.

Sa mère avait raison. S'il voulait être heureux, il ne pouvait compter que sur lui-même. Personne ne pouvait le faire à sa place et quand bien même Jeanne aurait été encore vivante, elle non plus n'aurait rien pu faire de plus pour que son fils soit heureux.

Des revers et de déceptions, il y en aurait toujours. La vie était ainsi faite. À lui de résister, de regarder devant et non derrière. À lui de croire en des lendemains plus joyeux.

À lui de chercher cette force insoupçonnée, cachée dans quelque repli de son âme et dont Jeanne avait parlé dans sa lettre.

— Comme papa doit le faire, lui aussi. Et grand-père...

Un soupir doux comme une brise s'échappa des lèvres de Sébastien, puis il reprit le fil de sa lecture.

« Je sais maintenant que c'est la douleur qui aura raison de mes dernières résistances, de mes derniers attachements... Le matin où je m'endormirai pour la longue nuit sans fin, les gens croiront que la maladie a eu raison de moi. Tout est prêt. Il ne manque que mon assentiment.

Thomas et moi avons décidé de ne plus parler de ce geste que je vais poser. Pour le protéger, lui, après, bien sûr. Mais aussi parce que ce geste sans retour s'inscrira dans la continuité de nos secrets amoureux. À bien y penser, il y a, dans ce choix, une intimité que je ne peux partager qu'avec Thomas...

Présentement, je suis sur la terrasse. Je tiens à le préciser pour que le jour où quelqu'un lira ces lignes, il puisse y rattacher des images. La brise est douce, les rosiers sentent bon et je suis bien. Regardez la femme qui écrit sur le clavier de son ordinateur. C'est moi, je vous fais signe, je vous redis que je vous aime. Je continue de mettre dans la mémoire de mon ordinateur tous ces mots que je n'aurai pas le temps de vous dire. Ils sont pour vous. Je veux que vous sachiez que je n'ai plus peur. J'aurai donc réussi à vaincre mon cancer même si je vais en mourir...

Je m'arrête ici, je suis fatiguée. Je reprendrai plus tard ou demain. Qu'importe! Ce que j'ai à vous dire, vous le savez déjà. Je vous aime et j'aime la vie. »

Sébastien aussi s'arrêta à ce même endroit, un peu brusquement.

Il y avait une phrase qu'il voulait relire avant de poursuivre plus avant.

Il la retrouva quelques pages plus haut après avoir fait défiler le texte d'un doigt fébrile.

Jeanne parlait de sa mère. Elle disait qu'elle venait de comprendre que ce qu'elle avait pris pour de la résignation était en fait du courage.

« *Seul un être courageux peut sourire devant la mort.* »

— Seul un être courageux, enchaîna Sébastien dans un souffle, peut parler de l'imminence de sa mort dont il a délibérément choisi le moment et continuer de s'adresser à ceux qu'il aime avec sérénité. Maman... Quelle grande dame tu as été... Fallait-il que tu nous aimes... Et moi, je t'aime tellement, tu sais, tellement !

Le temps n'était plus aux larmes, l'émotion et la beauté des souvenirs dépassant largement ce stade. Sébastien se doutait maintenant des événements qui allaient suivre et il était prêt à lire jusqu'au bout. À cause de la date inscrite, il ne restait peut-être que quelques pages. Les derniers messages de Jeanne.

— Peut-être ses dernières recommandations.

Sébastien ne pouvait si bien dire. Effectivement, il ne restait que trois ou quatre pages, les ultimes conseils, les derniers remerciements.

— Comme je m'y attendais, lança le jeune homme, ému.

Puis ce fut le dernier passage que Sébastien n'eut pas envie de lire à l'écran. Il l'imprima et regagna son lit, là où il aimait s'installer pour lire, appuyé sur ses oreillers.

« *Dimanche soir, tout est calme. Les enfants viennent de quitter la maison. Le pique-nique a eu l'air de plaire à tout le monde. Thomas s'était surpassé et la table était bien garnie. J'ai peu mangé, je m'en excuse, j'étais trop occupée à regarder nos enfants. J'aurais voulu parler, je me suis tue. J'avais tellement peur de trop en dire. J'aurais pu pleurer, je ne l'ai pas fait même si je savais que c'était le jour des adieux. Jusqu'à la fin, il y aura ce secret entre Thomas et moi pour le protéger, lui. Il n'y a que Gilles qui le partage. Il est le bouclier derrière lequel Thomas se cachera. Demain, il n'ira pas travailler, il restera chez lui à attendre l'appel de Thomas. Il nous a offert d'être présent, j'ai refusé. Ce sera ma dernière exigence. Le geste que je vais poser demain s'inscrit dans la continuité de ma vie avec Thomas, je ressens ce besoin viscéral de le vivre dans l'intimité la plus stricte.*

Moi qui disais avoir peur de la souffrance, je ne savais pas ce que le mot « souffrir » voulait dire. Ce que j'endure, depuis quelques jours, est atroce.

La douleur fait trembler mes mains, mais je refuse de prendre mes médicaments pour l'instant. Je veux garder mon esprit clair et lucide alors que je m'adresse à toi, mon beau Thomas. Tu pardonneras donc ce papier écrit à l'ordinateur, c'est de cette seule façon que j'arrive encore à écrire, lentement, laborieusement.

Ces derniers mots, Thomas, ils sont pour toi. »

Sébastien leva les yeux et détourna la tête.

Il ne se sentait pas le droit de continuer. Comme sa mère l'avait si bien dit quelques lignes plus haut, ces derniers instants s'étaient vécus dans l'intimité la plus stricte, donc il n'avait pas l'intention de s'y immiscer. C'était la dernière exigence de Jeanne et il allait la respecter.

Comme il avait choisi de respecter ses dernières volontés.

De toute façon, avait-il vraiment besoin de poursuivre sa lecture ? Tout était dit.

Sébastien replia les deux feuilles qu'il avait encore dans ses mains. Il les rangerait plus tard dans l'enveloppe avec la lettre que sa mère avait un jour écrite pour lui. Puis il se releva pour venir retirer la disquette de l'ordinateur.

Il comprenait maintenant pourquoi son père avait tant tardé à lui confier les écrits de Jeanne. Ils contenaient une réalité difficile à partager. Cependant, Sébastien n'en voulait nullement à son père d'avoir agi ainsi. En effet, le choix de confier cette lecture à d'autres revenait à Thomas. Seul son père pouvait vraiment décider.

Quand Sébastien quitta sa chambre, il n'était que midi. À la cuisine, Armand se fricotait un œuf au miroir.

— Une autre de mes spécialités, lança-t-il joyeusement, la spatule pointant le plafond. Tu en veux un ? demanda-t-il en se retournant.

C'est alors qu'il aperçut l'ancienne boîte à chaussures que Sébastien portait devant lui. Son vieux cœur fit un drôle de rebond dans sa poitrine.

— Tu as terminé ? demanda-t-il d'une voix étranglée en se détournant pour revenir à son œuf.

— Oui. J'ai tout lu ou presque… Le dernier passage ne s'adressait pas à moi et je ne me sentais pas le droit de le lire. Mais pour tout le reste…

Sébastien parlait lentement, choisissant ses mots, ne sachant jusqu'où il pouvait aller dans ses confidences. Malgré l'hésitation, Armand sentit une certaine fermeté dans la voix, ce qui lui sembla de bon augure, et il osa croire que son intuition était la bonne : Sébastien avait probablement accepté les dernières volontés de sa mère avec humilité, tout comme lui l'avait fait, et puisqu'il n'y avait aucune amertume dans sa voix, Sébastien n'en voulait pas à son père non plus.

Armand poussa un soupir discret, évacuant ainsi un immense soulagement. À lui, maintenant, d'apporter l'éclairage nécessaire à la poursuite de cette conversation. Il choisit la manière détournée.

— Tu n'as pas répondu à ma question, fiston. Veux-tu un œuf ?

Sébastien déposa la boîte sur la table.

— Pourquoi pas ? Je n'ai pas très faim, mais comme je n'ai pas déjeuné…

Un fin silence, soutenu par le grésillement du beurre dans le poêlon, se glissa entre les deux hommes.

— Certaines découvertes sont parfois surprenantes, n'est-ce pas ?

La voix d'Armand était lasse et la question n'en était pas vraiment une. Comme Sébastien ne répondait pas, Armand n'insista pas et trouvant en lui un faible regain d'énergie, il lui ordonna :

— Allez, assis-toi ! Aujourd'hui, c'est moi qui fais le service !

C'est à ce moment que Sébastien leva la tête. Son regard accrocha celui de son grand-père et le doute ne fut plus permis. En quelques mots à peine, Armand Lévesque lui avait confirmé qu'il était dans la confidence.

Qui lui avait parlé? Jeanne ou Thomas?

— Ainsi, tu savais...

— J'ai su, oui, par après, en lisant la lettre de ta mère. Il n'y a pas eu tellement de secrets entre elle et moi au fil des années. Le décès de ma Béatrice a modifié la relation qui nous unissait. Alors, je crois que Jeanne ne pouvait s'en aller avec un tel secret entre nous.

— Je peux comprendre.

Puis, avec une grande ferveur emmêlée à quelques larmes imprévues, Sébastien demanda:

— Comment te sens-tu, toi, devant ce choix que maman a fait?

— Bien petit, mon garçon, bien petit. Ce choix de Jeanne ne serait pas le mien, tu dois bien t'en douter. Je crois en Dieu et c'est à Lui que je fais confiance pour décider de ce qui sera le mieux pour moi. Par contre...

Armand avait éteint les éléments et il avait délaissé la cuisinière pour s'approcher de la table. Il s'installa tout juste devant Sébastien et tendit la main pour la poser sur le bras de son petit-fils.

— Par contre, fiston, je respecte la décision de ma fille. Aussi dure soit-elle et dans toute sa différence avec mes propres convictions. Je lui ai toujours fait confiance, n'est-ce pas? Alors, ça va jusque-là. De plus, je veux que tu saches que j'admire ton père d'avoir eu l'abnégation — et je pèse mes mots en disant cela —, l'abnégation de l'accompagner jusqu'au dernier instant. Moi, je n'aurais pas su. Pas plus avec Jeanne qu'avec ma Béatrice.

— C'est vrai que ça n'a pas dû être facile.

—C'est probablement ce que Thomas a eu de plus difficile à faire de toute sa vie, analysa le vieil homme avec tant d'émotion que sa voix en tremblait. C'est une preuve d'amour comme il y en a peu.

—C'est aussi ce que je ressentais en lisant les derniers moments de...

Sébastien dut s'interrompre, car les mots ne passaient plus. Il pencha la tête, renifla, toussota.

—J'espère avoir la chance de connaître un amour comme le leur, murmura enfin Sébastien après avoir pris une longue inspiration.

—Je te le souhaite. Du fond du cœur, je te le souhaite, mon grand.

—Mon grand...

Sébastien leva un regard embué.

—Maman m'appelait souvent comme ça.

—Comme bien des mères appellent leur fils. Moi aussi, je crois, si ma mémoire est fidèle, j'ai eu droit à ce mot d'affection... Et maintenant, que comptes-tu en faire?

De l'index, Armand pointait la boîte déposée sur la table.

—Veux-tu lire ce qu'elle contient? répondit aussitôt Sébastien qui y avait longuement pensé. Je crois que papa ne serait pas contre l'idée de...

—Non, fiston, trancha le vieil homme en mettant une certaine pression sur le bras de Sébastien. J'ai eu le temps d'y réfléchir sérieusement et je crois que je vais m'en tenir aux merveilleux souvenirs que je garde de ma Jeanne. Ça me suffit amplement.

— Alors, je vais remettre la boîte à papa, déclara le jeune homme sans la moindre hésitation. Ce n'est pas à moi de décider si je dois la confier à Mélanie ou à Olivier.

— C'est une sage décision.

— Est-ce que ça te dérangerait beaucoup si je faisais ça dès aujourd'hui ? Je... J'aimerais parler avec papa.

— Ça ne me dérange pas du tout. Ça te ressemble de battre le fer quand il est chaud. Te connaissant, le contraire m'aurait surpris.

— Alors, je vais téléphoner à madame Germaine et lui demander si elle peut venir te tenir com...

— Pas besoin de déranger qui que ce soit !

Les deux mains appuyées sur la table, le vieil homme se relevait le plus rapidement possible comme pour appuyer ses propos.

— Et si je n'arrive pas à faire l'aller-retour dans la journée ?

— Mais j'espère bien que tu ne feras pas l'aller-retour aujourd'hui ! As-tu vu la neige dehors ?

— Justement.

— Descends-moi un pyjama et ma brosse à dents et je vais me débrouiller tout seul comme un grand !

— Tu en es bien certain ?

— Puisque je te le dis ! Je n'aurai qu'à manger un œuf de plus pour souper, ajouta malicieusement Armand. En omelette, cette fois-là. Les omelettes aussi sont dans mon champ de compétence ! Maintenant, file te préparer pendant que je cuis nos œufs au miroir. Tu partiras après.

Chapitre 8

« Notre voyage m'a appris beaucoup de choses sur moi-même et sur la vie.

À commencer par ce que le docteur Chaignat a appelé l'autodélivrance. Ce n'est qu'un mot, mais à mes yeux, il est l'expression de toutes ces attentes que je porte en moi depuis si longtemps et que je n'arrivais pas à exprimer clairement. Plus jamais je ne parlerai de suicide. »

Passage du journal de Jeanne, qu'elle a écrit à la fenêtre d'une petite chambre à Paris.

De meringue bien montée, bien ferme, à Québec, la neige prit l'allure d'un soupçon de sucre saupoudré parcimonieusement sur les arbres et les pelouses à la hauteur de Drummondville avant de se dissiper totalement dans la région du mont Saint-Bruno. Pour la énième fois de sa vie, Sébastien se répéta que s'il appréciait le charme de la ville de Québec, il préférait nettement le climat moins rigoureux de Montréal.

Puis il s'engagea dans le tunnel menant à l'île qu'il devrait traverser pour rejoindre Laval.

Le quartier où habitait désormais son père était plutôt quelconque et reflétait sans la moindre ambiguïté l'architecture un peu banale des années soixante. Par contre, les jardins étaient bien entretenus, les terrains assez grands et les arbres majestueux.

Le jeune homme resta un long moment immobile, derrière le volant, examinant la maison de bois et de pierres, si différente de celle qui avait abrité son enfance et sa jeunesse.

Comment son père se sentait-il ici ? Avait-il réussi à se creuser un nid suffisamment confortable ?

Sébastien en doutait. Depuis le repas pris l'été dernier chez Mélanie, ce fameux souper où ils avaient longuement parlé de leur père, Thomas n'avait toujours pas brisé la glace. Bien sûr, il avait revu ses petits-enfants Marie-Jeanne et Jérémie puisqu'il venait les chercher pour différentes activités, souvent en compagnie des fils d'Olivier, mais il n'avait pas encore franchi le seuil de son ancienne maison. Cela avait fait dire à Sébastien, la semaine dernière alors qu'il parlait avec son grand-père, que c'est Mélanie qui avait raison : leur père n'était pas heureux. Du moins, pas dans le sens où il aurait dû l'être, enfin libéré de sa trop lourde tristesse. Curieusement et sans la moindre hésitation, le vieil homme avait alors rétorqué :

— Ne crains pas, Sébastien, il y travaille. À l'instant où nous nous parlons, Thomas y travaille de toutes ses forces. Fais-lui confiance, il va finir par y parvenir.

Sébastien n'avait pas vraiment compris ce que son grand-père cherchait à dire, mais il n'avait pas insisté. De toute façon, à ce moment-là, son cœur était tout occupé par sa mère dont il lisait le journal.

Sébastien poussa un long soupir tout en tendant la

main pour saisir la boîte à chaussures qui commençait à montrer quelques signes de fatigue à force d'être si souvent manipulée.

C'est vaguement mal à l'aise que le jeune homme sortit de son auto en examinant le jardin figé dans ses couleurs d'automne. S'il ressentait vivement l'envie et le besoin de voir son père, de bavarder avec lui pour lui dire qu'il l'aimait tout comme avant et qu'il respectait le choix fait par sa mère, il n'était pas du tout certain d'être suffisamment détendu pour tout déballer ici, dans la maison de Simone, même si elle n'était pas tout à fait une étrangère.

Son père y avait-il une pièce personnelle, un petit coin bien à lui où ils pourraient s'isoler? Sébastien l'ignorait.

— Mais comment faire autrement que de sonner à sa porte? grommela-t-il entre ses dents en remontant l'allée. C'est ici que papa vit maintenant, va falloir que je m'y fasse.

Heureusement, ce fut Thomas qui ouvrit au premier tintement de la sonnette. Dès qu'il reconnut son fils, il afficha un large sourire qui s'évanouit à l'instant où il aperçut la boîte. À ce geste à peine retenu de Thomas, comme instinctif, de regarder derrière lui par-dessus son épaule, Sébastien comprit que son père était aussi embarrassé que lui. La proposition fut alors spontanée:

— Je passais dans le coin... Tu viens prendre un café?

— La bonne idée! Le temps d'enfiler mon manteau et j'arrive.

Nulle invitation à entrer, à saluer Simone ou son père.

Si Thomas s'était senti tout à fait chez lui, il aurait aussitôt proposé de prendre le café à la maison, lui qui avait souvent proclamé que prendre un simple breuvage dans un restaurant était une perte de temps et d'argent.

À moins que ce soit la boîte qui ait donné le ton à la réplique. Dans un mouvement réflexe, Sébastien la serra tout contre lui.

Le temps d'arriver à son auto et il entendit la porte de la maison qui claquait dans l'air cru et limpide de ce bel après-midi de novembre. Son père arrivait déjà, descendant à grandes enjambées l'allée bordée de chrysanthèmes.

Tout juste au bout de la rue, un Tim Hortons affichait ses couleurs. D'un simple regard, Thomas et Sébastien s'entendirent pour s'y arrêter.

— Laisse la boîte dans l'auto. Je la reprendrai plus tard.

La confession de Sébastien se fit en quelques phrases à peine, à l'image de l'acceptation inconditionnelle qu'il ressentait.

— Merci de ta confiance, papa. J'ai tout lu, sauf peut-être le tout dernier passage parce que maman a écrit qu'elle te l'adressait de façon personnelle. Je... Les mots ne sont pas faciles à trouver. Je crois que je vais m'en remettre à maman pour t'exprimer ce que je ressens...

Sébastien observa un moment de silence, comme s'il revoyait le texte lu et qu'il y triait tous les mots qui allaient suivre.

— À un certain moment, reprit-il en levant les yeux

vers son père, quand maman parle de sa propre mère, elle écrit que ce qu'elle avait pris pour de la résignation était en fait du courage. Elle aurait pu dire la même chose pour elle. Ce que maman a choisi de faire était aussi empreint d'un grand courage. Il fallait qu'elle nous aime et qu'elle aime la vie pour en arriver à cette décision. Ma mère était une grande dame. C'est ce que j'ai pensé en lisant son journal et c'est encore ce que je pense d'elle...

Encore une fois, Sébastien ménagea une courte pause puis, après une longue inspiration, il ajouta sans quitter son père des yeux :

— Et toi, papa, tu es quelqu'un de bien. Grand-père a prononcé le mot « abnégation » en parlant de toi. Il a raison. Jamais je n'aurais pu espérer meilleurs parents que vous deux... Voilà... C'est ce que je voulais te dire. Chose certaine, je ne regarderai plus jamais la vie de la même façon.

Thomas dut cacher ses larmes derrière la serviette de papier pour se soustraire à quelques regards curieux posés sur lui.

— Merci d'accepter et de comprendre, murmura-t-il enfin d'une voix enrouée en s'essuyant le visage.

— Ce n'était pas difficile à accepter, papa. C'étaient les dernières volontés de ma mère.

Thomas hocha lentement la tête, le regard vague, tourné vers une vision du passé qui n'appartenait qu'à lui et n'appartiendrait qu'à lui jusqu'à la fin des temps.

— Ça n'a pas été facile, tu sais, confia-t-il dans un

chuchotement. Si j'ai connu le meilleur avec ta mère, dis-toi bien que ce matin-là, j'ai vécu une descente aux enfers vertigineuse... Tu ne peux savoir le soulagement que je ressens en ce moment.

— Comment as-tu pu imaginer que je réagirais autrement ? Cette décision appartenait à maman et toi, tu l'as secondée jusqu'au bout. Vous avez toujours tout fait à deux, alors...

— N'empêche... De savoir que tu ne m'en veux pas enlève un lourd fardeau de mes épaules.

— Et toi, tu pourrais enlever un fardeau des épaules de Mélanie en acceptant d'aller la voir.

Sébastien fut le premier surpris par ces mots qui avaient quitté ses lèvres en se précipitant.

— Elle se fait toutes sortes d'idées, tu sais ! ajouta-t-il d'un même souffle avant de prendre peur devant son audace et de se taire.

Pourtant, Thomas n'avait pas l'air offusqué par ce reproche à peine déguisé. Il se contenta de demander :

— À ce point ?

— Et même plus... Peux-tu me répondre franchement ?

— Question idiote, Sébas !

— D'accord. Allons-y donc ! Regrettes-tu de lui avoir donné la maison ? Si ça ne me regarde pas, dis-le franchement et je ne t'en voudrai pas. Mais Mélanie pense que...

— C'est ce que Mélanie pense vraiment ? demanda alors Thomas coupant ainsi la parole à Sébastien. Que je regrette de lui avoir donné la maison ?

— Oui, sans trop comprendre pourquoi, d'ailleurs. Elle n'en parle pas beaucoup, mais l'été dernier, lors d'un souper où tu étais absent, elle s'est vidé le cœur devant Olivier et moi.

Sébastien n'osa ajouter que sa sœur était persuadée qu'à cause de ce regret, son père était malheureux. Il n'osa dévoiler que Mélanie allait jusqu'à dire qu'à force de ressasser tout ça, son père en était venu à lui en vouloir à elle, d'où son refus d'aller à son ancienne maison.

Brusquement, Thomas eut l'air épuisé.

— Si je te répondais que Mélanie n'a pas tout à fait tort ?

— Ah oui ?

De toute évidence, Sébastien ne s'attendait pas à cette réponse.

— Je n'aurais jamais pensé que…

— Laisse-moi terminer. Oui, je regrette d'avoir donné ma maison, mais pas dans le sens où tu l'entends. Je suis heureux de savoir que ma fille a un toit sur la tête et qu'elle peut mener la vie dont elle rêvait. De nos trois enfants, c'est elle qui en avait le plus besoin. Jamais je ne pourrai regretter ma décision quand on la prend en ce sens et je sais que Jeanne aurait été entièrement d'accord avec mon choix.

— Je ne comprends pas ce que tu essaies de me dire.

— C'est pour moi que je regrette, Sébastien. Uniquement pour moi.

— Pour toi ?

— Oui, pour moi.

À son tour, Thomas resta silencieux durant un long moment, cherchant les mots qui pourraient tout expliquer.

— Depuis six mois, reprit-il lentement, j'ai l'impression de ne plus avoir de port d'attache. Chez Simone, même si je l'aime beaucoup, ce n'est pas chez moi et j'ai bien peur que ça ne le soit jamais. Gustave et elle y ont leurs habitudes, leurs manies, leur routine, et je n'arrive pas à m'y tailler une place, aussi petite soit-elle. Voilà pourquoi je ne retourne pas à mon ancienne maison. J'ai peur de la nostalgie des souvenirs, j'ai peur de glisser sur une mauvaise pente.

Thomas n'avait pas besoin d'aller plus loin pour que Sébastien comprenne.

— Chacun réagit à sa façon, tu sais. Maintenant je comprends mieux ton attitude. C'est comme pour le journal de maman. Moi, quand je l'ai lu, j'ai revu des tas de moments de notre vie familiale et ça m'a fait du bien. Grand-père, lui, préfère se contenter de ses souvenirs.

— Il ne veut pas lire le journal?

— Non. Et il n'y avait aucune hésitation dans sa voix quand il me l'a dit, crois-moi! Toi, papa, tu as peur de retourner à la maison parce que tu as peur de voir l'ennui te submerger encore une fois. Ou les regrets, tels que tu me les as présentés. Et ça aussi, je peux le comprendre. Mais d'un autre côté, si c'était une forme d'apaisement qui t'attendait à la maison?

— De l'apaisement? Alors que...

— Tant que tu n'y seras pas allé, tu ne pourras pas savoir, papa, trancha Sébastien tandis que Thomas penchait la tête, admettant ainsi que son fils pouvait avoir raison. Je... je sais que maman espérait créer une sorte de pont entre elle et nous à travers ses mémoires. Elle l'a écrit. Peut-être qu'elle t'attend sous une forme ou sous une autre, à travers un souvenir ou un autre... Et comme tu refuses de retourner à la maison, elle doit commencer à trouver le temps long.

À ces mots, Thomas traça l'ébauche d'un sourire.

— À force de lire son journal, ta mère t'a contaminé, Sébas. Tu parles comme elle... Peut-être as-tu raison et qu'il n'y a que du bon pour moi à retourner dans cette maison.

Sur ce, Thomas exhala un long soupir avant de se redresser pour regarder Sébastien droit dans les yeux.

— Mais pour l'instant, à la lumière de ce que tu viens de me dire, ce n'est pas ça l'important. C'est Mélanie. Je crois bien que c'est à son tour de lire le journal de ta mère.

— Tu crois vraiment?

— Oui, pourquoi? On dirait que tu en doutes?

— C'est que...

Sébastien se sentait tout hésitant. Avec l'espèce de rancœur que Mélanie semblait entretenir à l'égard de leur père, était-ce vraiment le temps de lui confier le journal de Jeanne? Était-ce vraiment le bon moment pour qu'elle le lise jusqu'au bout? N'y avait-il pas là le risque qu'elle en veuille encore plus à leur père? Sébastien se hasarda alors à dire:

— C'est que Mélanie est vraiment déçue de... Déçue

du fait que tu ne sois pas encore allé chez elle, enfin je veux dire chez toi et...

— Et si je te disais que je connais quand même assez bien Mélanie, interrompit Thomas, pour comprendre ce que tu essaies péniblement de m'expliquer ? Si j'ajoutais qu'à partir du moment où j'ai décidé de te confier le journal de ta mère, je savais qu'il n'y aurait aucun retour en arrière possible et que tous mes enfants auraient le droit de le lire ? Pour l'instant, Mélanie m'en veut, n'est-ce pas ? D'accord, je peux l'accepter. Quand elle aura lu, je crois qu'elle comprendra mieux le pourquoi de mon attitude. Et si elle n'accepte pas, ce sera à moi de tout tenter pour expliquer ce que Jeanne n'aurait pas réussi à lui faire comprendre.

— Et moi, je te dirais que tu devrais d'abord lui ouvrir les bras, d'abord, prendre un café dans la serre ou sur le coin de la table de la cuisine et ensuite lui confier le journal de maman, conseilla alors Sébastien sans la moindre hésitation. Si toi, tu la connais parce qu'elle est ta fille, moi, je la connais peut-être mieux parce qu'elle est ma jumelle.

Thomas resta un long moment silencieux puis, d'un lent hochement de la tête, il approuva.

— D'accord, Sébastien. Tu as probablement raison et c'est maintenant qu'on va savoir. Tu viens me reconduire chez Simone et tu m'y attends tandis que je vais voir Mélanie. Ensuite, on se fricotera un petit souper... à moins que Gustave ne l'ait fait avant moi, ce qui ne me surprendrait pas du tout !

Quand Thomas sonna à la porte de Mélanie, le soleil se couchait derrière une traînée de nuages violets qui montaient sur l'horizon. Le vent avait gagné en force et il y avait de fortes chances que Montréal aussi se retrouve bientôt ensevelie sous la neige.

Thomas avait les bras chargés.

D'une main, il tenait la boîte des confidences de Jeanne et de l'autre, il portait devant lui la toile qu'Armand avait achetée à l'île d'Orléans. Le vieil homme avait insisté pour que Thomas l'emporte avec lui :

— À toi d'être le premier à la contempler. Quand j'aurai envie d'une tempête dans mon salon, je te le ferai savoir.

Jusqu'à maintenant, sans en parler à qui que ce soit, Thomas n'avait trouvé aucun mur de la maison de Simone digne de mention pour accrocher la toile. Depuis son achat, il savait que c'était ici, dans la maison qui avait abrité ses amours avec Jeanne, qu'elle serait à son meilleur, et c'est aujourd'hui qu'il allait le vérifier. Entre autres choses.

— Papa ?

Mélanie avait entrouvert la porte et aussitôt, une petite frimousse s'était glissée contre sa cuisse. La jolie Marie-Jeanne venait aux nouvelles.

Mais curieusement, cette fois-ci, Thomas ne se pencha pas vers elle comme il avait coutume de le faire quand il venait la chercher pour une petite sortie.

En ce moment, Thomas n'avait d'yeux que pour Mélanie.

— Avec six mois de retard, j'aimerais entrer, expliqua-t-il d'une voix grave. Est-ce que je peux?

Il n'y eut aucune hésitation. Le visage inondé de larmes, la jeune femme lui ouvrit alors tout grand les bras et sa porte.

La toile trouva naturellement sa place sur le mur de briques de la serre.

— C'est vraiment joli, murmura Mélanie.

Puis, se tournant vers son père qui semblait particulièrement ému, elle ajouta :

— Ainsi donc, maman avait un peintre préféré? Je n'en savais rien.

— Il y a peut-être, comme ça, bien des choses que tu ne sais pas. Je pourrais t'en parler devant un café.

C'est ainsi que dans la demi-heure, la boîte à chaussures se retrouva sur la petite table de la serre, là où Mélanie l'avait vue une première fois, peu de temps après le décès de Jeanne. Elle avait promis d'en lire le contenu dès qu'elle aurait le temps de le faire.

— Ça ne devrait pas tarder. Tu sais comment je suis curieuse, n'est-ce pas?

Le temps d'un café à saveur de réconciliation et Thomas prit congé.

— Mais je vais revenir, Mélanie. Promis. Maintenant que la glace est brisée...

— En plein ce que je disais!

Le retour vers Laval se fit lentement. D'un détour inutile à un retour sur ses pas tout aussi superflu, Thomas étira le temps. Il avait besoin d'être seul avec ses pensées et ses souvenirs. Pourtant, le choc de revoir sa maison avait été beaucoup moins brutal que tout ce qu'il avait anticipé.

— Tant mieux, murmura-t-il. N'empêche que ça m'a fait drôle de revoir les vieux meubles... Comme si Jeanne allait y apparaître en train de lire. Pourtant, des meubles, ça ne restera toujours que des meubles même si j'ai terriblement envie d'un chez moi où je pourrais les voir tous les jours.

En pensée, Thomas imagina une petite maison chaleureuse où, dans un mélange harmonieux, il y aurait un peu de chez lui et un peu de chez Simone côte à côte. Une maison à laquelle ils pourraient donner une âme en s'y mettant ensemble, à deux, comme il l'avait fait jadis avec Jeanne.

— Sans oublier Gustave aux fourneaux dans une belle cuisine neuve, comme de raison!

Le ton se voulait joyeux, mais la voix de Thomas cassa quand il rangea l'auto dans l'allée. La peur de l'inconnu l'avait retrouvé, et la vision d'une maison nouvelle éclata comme une bulle de savon.

S'il fallait que Mélanie n'accepte pas la décision de sa mère! S'il fallait qu'elle rejette son geste à lui!

Quand il retrouva Sébastien, Thomas avait réussi à esquisser un sourire, mais ce n'était qu'une façade. Une attitude forgée pour son fils, uniquement pour lui, parce qu'en réalité, une incroyable inquiétude faisait débattre son cœur.

La boîte resta sur la petite table de la serre durant

une longue semaine. Non par manque de temps mais bien par crainte de ce qu'elle allait y trouver, Mélanie repoussa l'échéance.

Et il y avait autre chose.

Quand son père lui avait remis les écrits de sa mère, il lui avait aussi avoué que Sébastien venait de les lire. Et s'il avait été le premier des enfants à avoir ce privilège, c'était parce qu'il vivait une peine d'amour particulièrement difficile. Même encore aujourd'hui, après de nombreux mois, la rupture était difficile à accepter.

Mélanie avait alors dit qu'elle comprenait. De toute façon, il fallait bien qu'il y ait un premier, n'est-ce pas?

Ce qu'elle comprenait moins, par contre, c'était le fait que Sébastien n'ait pas pensé à se confier, à partager sa peine avec elle. D'aussi loin que Mélanie puisse se souvenir, ils avaient toujours partagé leurs peines et leurs joies. Comme elle-même en avait spontanément ressenti le besoin quand, avant d'avoir sa petite Marie-Jeanne, elle avait fait quelques fausses couches. Dans les priorités naturelles de Mélanie, c'était d'abord Maxime et ensuite Sébastien. Ses parents ne venaient qu'après. Pour Mélanie, cette réalité faisait partie de sa vie depuis toujours et elle croyait bien que la réciproque était tout aussi vraie.

Or, il semblait qu'elle se soit trompée et de le constater provoqua une grande déception. Cela lui prit toute la semaine pour essayer de s'en remettre, essayer de se faire à l'idée que désormais, la relation qui l'unissait à Sébastien allait être différente.

Si au moins sa mère avait pu être là pour en parler...

Ce fut ce désir d'être réconfortée par sa mère qui poussa enfin Mélanie à soulever le couvercle de la boîte. Le soir était tombé, les enfants venaient de se coucher et Mélanie avait de longues heures devant elle. Peut-être bien que retrouver une partie de la vie de sa mère allait poser un baume sur sa tristesse. C'est ce que Mélanie espérait quand elle commença sa lecture.

Jeanne avait douze ans et sa mère Béatrice venait de mourir.

Mélanie ne vit pas le temps passer. Quand Maxime vint lui signifier qu'il montait se coucher, elle répondit d'une voix évasive de ne pas l'attendre. Il n'insista pas.

Dans les cahiers de Jeanne, les années passaient.

Puis, sur une page vierge, entourée d'un liseré rouge, quelques mots.

Il s'appelle Thomas.

Mélanie esquissa un sourire. Si elle avait tenu un journal comme sa mère l'avait scrupuleusement fait au fil des années, elle aussi aurait utilisé une pleine page pour inscrire le nom de Maxime.

La suivante était couverte de cœurs.

La jeune femme replongea de plus belle dans sa lecture.

Combien y en aurait-il, de ces ressemblances entre Jeanne et elle?

Les années filèrent. Puis, un bon jour :

«Des jumeaux! Mais qu'est-ce que je vais faire de ça, moi, des jumeaux? Un bébé, je ne dis pas, mais des

jumeaux ! Peut-être bien, après tout, que je ne travaillerai pas au Jardin botanique. Merde et remerde ! »

Ici aussi, Mélanie ne put retenir le sourire qui lui monta spontanément aux lèvres. La réaction de sa mère ressemblait bien à celle qu'elle aurait si on lui apprenait qu'elle portait des jumeaux.

Et tant pis si elle était incluse dans la déception de sa mère !

— Maman avait bien raison, murmura Mélanie en se calant le dos contre un coussin. Un bébé à la fois, c'est amplement suffisant.

Heureusement, dans la vie de Jeanne, et par ricochet dans celle des jumeaux et d'Olivier, il y avait eu Marie Lafleur.

« Elle s'appelle Marie Lafleur. Nom prédestiné s'il en est un ! C'est ma Mary Poppins à moi ! »

Mélanie se rappelait fort bien l'époque de Marie Lafleur. Elle occupait la chambre qui allait devenir la sienne, et la perspective d'avoir enfin un petit coin bien à eux avait permis d'atténuer la tristesse des jumeaux quand, pour des raisons familiales, Marie avait dû les quitter. Ils devaient avoir à peu près cinq ans.

L'aube n'était pas très loin quand, les yeux rougis, Mélanie s'arracha enfin à sa lecture. Elle avait épuisé les cahiers. Pour continuer, il lui faudrait installer l'ordinateur.

— J'y verrai demain, lança-t-elle en bâillant. Ou plutôt ce soir !

En trois nuits à peine, Mélanie en arriva aux derniers

écrits. La tristesse ressentie devant l'attitude de Sébastien était chose du passé, et la rancœur envers son père n'avait plus la moindre raison d'exister. Mélanie vivait ses journées dans l'attente du moment où elle pourrait reprendre sa lecture.

Pourtant, en ce vendredi matin, Mélanie savait que ce qui allait suivre serait difficile à lire puisque Jeanne venait d'apprendre qu'elle avait un cancer. Peu importe! Dès que ses enfants furent couchés, la jeune femme inséra la disquette avec fébrilité dans le portable et elle replongea dans sa lecture avec boulimie. Les souvenirs, les images, les émotions seraient au rendez-vous. Plus, elle les espérait. À travers les confidences de sa mère, c'étaient son père et ses frères qu'elle apprenait à mieux connaître, et Mélanie vivait ces moments avec un intense bouleversement.

D'où elle était, Jeanne faisait encore naître de la vie, de l'espoir.

Malheureusement, quelques pages plus loin, le moment où l'espoir n'était plus permis apparut en lettres noires. Jeanne et Thomas venaient d'arriver à Paris. Ils préparaient leur retour vers Montréal.

« *Je ne vois plus ma décision comme un suicide. Pas dans le sens généralement admis. Ce ne sera ni un geste de désespoir ni un sacrifice. De toute façon, je suis condamnée. Plus rien ne pourrait sauver mon corps malade. Je ne fais que choisir la manière de partir. Parce que je vais mourir, que je le veuille ou non. Je dirais même qu'au-delà de la manière que j'emploierai pour mourir, l'enrobant et lui donnant une certaine beauté, il y aura du respect dans le geste que je poserai. Il y aura le respect d'une vie qui m'a choyée. Il y aura le respect de moi-même dans une dimension d'intégrité jusqu'à ce jour insoupçonnée... Ce voyage m'aura aussi appris que je n'ai rien à regretter. Je trouve difficile de le dire, mais je n'étais que de passage. Nous ne sommes tous que de passage. La vie va continuer sans moi. Elle n'a pas besoin de moi pour le faire. »*

Les yeux embrouillés de larmes, Mélanie recula sa chaise pour faire une pause. Elle mit l'écran en veille et se leva pour venir à l'autre bout de la serre, là où le mur vitré s'ouvrait sur la cour.

Cette année, la neige tardait à venir. Les arbres n'étaient plus que des ombres rabougries et tordues dans l'éclat d'une lune brouillée qui passait d'un nuage à l'autre. Le sable dans le parc de jeu était gelé et dimanche dernier, Maxime avait rangé les balançoires dans le cabanon.

La nature semblait en attente, comme le disait si bien Jeanne quand novembre étirait indûment ses grisailles et son froid mordant.

— Un peu de neige nous réchaufferait, précisait-elle alors. Rien de mieux qu'une belle couette blanche et un chocolat chaud pour réconforter les cœurs!

Voilà ce que disait sa mère quand la neige se laissait désirer, comme en ce moment à Montréal. Pourtant, Jeanne détestait l'hiver et le froid.

— Mais j'aime bien la neige toute blanche, ajoutait-elle invariablement pour atténuer ses propos. Et j'adore les tempêtes !

À ce souvenir, Mélanie détourna les yeux. Sur le mur derrière elle, la toile que son père avait apportée l'autre jour rayonnait dans la lumière projetée par la lampe.

— Quand ton grand-père a appris que sa fille avait beaucoup aimé cet artiste, lui avait raconté Thomas, il n'a pas hésité une seule seconde et il m'a demandé de choisir une toile. Je trouvais que celle-ci ressemblait à ta mère. Une belle tempête de neige comme elle les aimait tant… J'aimerais offrir ce tableau à ma Jeanne en l'accrochant dans la serre.

« À ma Jeanne… »

Mélanie avait entendu encore tellement d'amour dans la voix qui avait prononcé ces quelques mots.

Elle poussa un long soupir.

— Moi aussi, maman, j'aime les tempêtes, souligna-t-elle d'une voix émue, mais je déteste l'hiver. Comme toi. Et comme toi, j'aime la vie et je la respecte suffisamment pour qu'elle reste belle jusque dans ses derniers instants. N'aie crainte, je serai assez forte pour aller jusqu'au bout de tes écrits, alors que je me doute fortement de ce qui s'en vient.

Contrairement à Sébastien, Mélanie se rendit jusqu'à la dernière ligne, malgré l'intention de Jeanne qui avait précisé vouloir s'adresser à Thomas. C'est à peine si Mélanie avait hésité en lisant ce qu'elle vit comme un avertissement. Elle avait rapidement conclu que sa mère, elle, aurait continué. Ne serait-ce que pour voir si elle pouvait aider. De toute façon, si son père n'avait pas voulu que sa fille lise jusqu'au bout, il l'aurait spécifié.

Ou il aurait effacé le passage, tout simplement.

Mélanie avait bu ces dernières pages où Jeanne faisait ses adieux à l'homme qu'elle avait tant aimé. Elle s'était attardée sur certains mots, avait imaginé Jeanne assise à la cuisine ou dans la serre, confiant ses émotions, ses pensées et même ses dernières recommandations à l'ordinateur dans l'espérance qu'un jour son mari et ses enfants puissent les lire.

« ...*Tu sais, même si je fais la seule chose à faire, même si je ne regrette rien et que je suis toujours aussi convaincue de la légitimité du geste que je vais poser dans quelques heures, j'ai quand même un peu peur. Je l'ai déjà dit et je le répète : l'inconnu est une donnée de l'exercice que j'appréhende encore et je trouve toujours aussi difficile de quitter ceux que j'aime. Je t'aime tellement, Thomas ! Alors, demain, ne m'en veux pas trop si je te semble lointaine, distante. C'est à cette seule condition que je pourrai aller jusqu'au bout. Je me redis, cruelle obligation, que de toute façon, l'échéance est là. Ma vie tire à sa fin. La mort est ma seule alternative, je ne fais qu'en décider la modalité. Depuis quelques jours, je m'oblige à ne fixer que le but atteint, sans m'autoriser à regarder derrière. Les souvenirs sont pour moi un luxe que je ne peux plus me permettre. Ils risqueraient trop de me meurtrir.*

Voilà...

Dans quelques instants, je vais m'allonger à mon

tour. *Tant que le sommeil continuera à me bouder, je te regarderai dormir et après, je me blottirai tout contre toi. Ma dernière nuit sera bonne. Je t'aime, mon amour.* »

Mélanie écrasa une larme contre sa joue.

— Tu vois maman, tu n'as pas écrit pour rien, murmura-t-elle bouleversée. Si tu savais comme je suis heureuse d'avoir eu de tes nouvelles.

Quand la jeune femme éteignit définitivement l'ordinateur, la maisonnée était profondément endormie. Elle avait lu et relu les dernières lignes, ces mots qui venaient confirmer l'intuition qui avait été la sienne, née par instinct à l'instant où son père avait téléphoné pour lui apprendre le décès de sa mère.

Jeanne Lévesque avait bel et bien choisi son heure pour tirer sa révérence.

Mélanie ne lui en voulait pas, bien qu'elle eût préféré garder sa mère auprès d'elle un peu plus longtemps. Elle n'en voulait pas non plus à son père d'avoir été en quelque sorte l'artisan de ce départ précipité.

La jeune femme avait regagné son poste à l'autre bout de la serre, là où, dès son déménagement, elle avait rapidement pris l'habitude de venir pour se détendre, se calmer ou tout simplement faire le point à la fin de la journée. Le ciel était sombre et les érables qui ombrageaient la cour par grand soleil n'étaient, ce soir, que deux masses noires, un peu inquiétantes. Pourtant, Mélanie, habituellement craintive dans la noirceur, ne s'en souciait guère. Son cœur et toutes ses pensées étaient tournés vers Sébastien et son père.

Surtout son père.

Elle tentait d'imaginer comment il avait pu se sentir, trois ans plus tôt, par cette si belle matinée d'automne alors que sa Jeanne s'endormait pour une dernière fois tout contre lui. Car même si personne n'en avait jamais parlé, en faisant un rapprochement avec tout l'amour qu'elle ressentait elle-même pour Maxime, c'est ainsi que Mélanie imaginait ses parents : blottis l'un contre l'autre ici, dans la serre, là où son père avait installé un futon pour Jeanne.

Son père devait avoir mal à en crier. Il devait à peine bouger, à peine respirer, à peine vivre lui-même.

Et ensuite...

Mélanie ferma les yeux, essayant de se rappeler cette matinée remplie de soleil mais si sombre où l'un après l'autre, les enfants étaient venus rejoindre leur père. À leur arrivée, discret, Gilles se tenait au salon. Elle comprenait maintenant le pourquoi de sa présence. Comme le disait si bien sa mère dans son journal, il avait été le bouclier derrière lequel son père s'était caché. Si Gilles, le médecin, l'ami, avait constaté le décès sans faire de vagues, c'est que la nature en avait ainsi décidé, n'est-ce pas ?

Mélanie poussa un léger soupir, se répétant que malgré les apparences, Jeanne avait finalement choisi d'aider la nature. C'était elle, et elle seule, qui avait décidé du moment et de la manière de son départ.

Et elle avait fait de Thomas son complice.

— Pourquoi pas ? murmura Mélanie, le regard vrillé

sur le ciel comme on a si souvent tendance à le faire quand on pense à quelqu'un qui est mort. C'est ce que tu as dû te dire, hein, maman? Pourquoi pas... Tu as souvent donné un petit coup de pouce à la vie. Tu as souvent provoqué les choses, dirigé les événements, et j'ose croire que cette façon d'agir a régulièrement donné de bons résultats. Peut-être bien que tu as vu ton départ comme tu voyais les autres moments de notre vie familiale. Mais là, maman, là, en ce moment bien précis, as-tu vraiment pensé à papa? As-tu essayé d'imaginer comment il se sentirait quand toi tu ne serais plus là, sachant qu'il avait été dans le secret, qu'il t'avait aidée à réaliser ce dernier souhait? As-tu vraiment réfléchi à tout ça, maman, avant de prendre ta décision? As-tu pensé à comment papa se sentirait emmuré dans son silence?

Brusquement, la raison motivant les attitudes de son père, ses réflexions et ses retraits devenaient d'une limpidité absolue.

Thomas Vaillancourt se sentait coupable. Depuis trois ans, cette culpabilité maudite devait continuer de le ronger par l'intérieur, minant jusqu'à ses forces vives, faussant son habituel bon sens.

Et elle n'avait rien vu, rien compris. Pourtant, elle s'était douté que la mort de sa mère n'avait pas été aussi naturelle qu'on avait bien voulu le laisser croire.

— Pauvre papa, soupira la jeune femme en s'arrachant à la contemplation du jardin endormi. Même si Maxime n'arrête pas de répéter que je n'ai pas à remplacer maman et que je sais fort bien qu'il a raison, demain, je vais appeler papa pour lui dire que je l'aime... et m'excuser. J'aurais dû comprendre bien avant aujourd'hui. Après, j'appellerai Sébastien pour lui dire la même chose. Ensuite... Ensuite, on verra bien ce que la vie décidera de faire avec tout ça.

Quand Mélanie se glissa sous les couvertures, elle eut le réflexe de s'approcher de son mari et d'épouser la forme de son dos pour se blottir tout contre lui.

Arriverait-elle à aider Maxime à mourir si jamais un jour la vie faisait en sorte que...

Mélanie enfonça sa tête dans l'oreiller pour faire cesser la ronde folle de ses pensées. Maxime et elle étaient en parfaite santé, leurs deux enfants aussi, et elle n'avait pas à s'empoisonner l'existence par de telles spéculations.

Pas maintenant, pas tout de suite. Peut-être jamais.

N'empêche que Mélanie venait de comprendre une chose, par contre. Si elle avait semblé porter des œillères depuis ces trois dernières années, c'était uniquement pour se protéger et s'empêcher de trop souffrir.

Mélanie poussa un long soupir en se lovant encore plus étroitement contre Maxime.

Déjà que le décès de sa mère était encore douloureux par moments... Savoir avec certitude que son père y avait participé, de quelque façon que ce soit, aurait été intolérable trois ans auparavant.

Chapitre 9

« Qu'importe ce que l'avenir te réserve, mon beau Olivier, n'oublie jamais que l'essentiel sera toujours ta famille. Quoi qu'il puisse arriver, tes deux garçons seront le plus beau présent que la vie t'aura donné. Prends du temps pour eux. Écoute ce qu'ils ont à te dire, émerveille-toi devant les découvertes qu'ils feront du monde qui les entoure. L'enfance est éphémère, Olivier. La vie aussi. Alors, n'en gaspille pas la moindre seconde. »

Passage de la lettre écrite par Jeanne à l'intention de son fils Olivier.

Cette lettre, remise par son père au lendemain du décès de Jeanne, Olivier la lisait régulièrement. Pas tous les jours ni même toutes les semaines, mais quand l'horizon lui semblait bouché, quand le temps fuyait ne lui laissant aucun répit, quand Karine avait pris la décision de le quitter, quand plus rien n'avait de sens à ses yeux, Olivier reprenait la lettre cachée sur la plus haute tablette de son garde-robe et il la relisait.

Invariablement, il y puisait une forme d'apaisement qui lui permettait de poursuivre sa route avec plus de sérénité.

Les vacances de l'été avaient été décidées à la suite d'une lecture. L'achat du petit chat aussi.

Ainsi, lorsque son père avait frappé à sa porte, l'autre matin, portant devant lui une vieille boîte à chaussures et qu'il lui avait proposé d'en lire le contenu, Olivier avait tout de suite pensé à la lettre de sa mère et il avait instinctivement senti le besoin d'y revenir.

C'est ce qu'il avait fait le soir même, au moment où les enfants avaient regagné leurs chambres pour quelques minutes de lecture avant la nuit. S'installant lui aussi dans sa chambre, Olivier avait lu et relu les derniers mots de Jeanne écrits à son intention, se demandant ce qu'il pourrait bien découvrir de plus à plonger dans son journal intime. Ce que Jeanne avait voulu lui laisser en héritage était là, sous ses yeux, contenu dans la lettre, et cela lui semblait tout à fait suffisant.

Un regard en oblique vers la boîte posée sur son lit lui avait donné un véritable frisson. Pourquoi devrait-il percer l'intimité d'une femme qui avait été sa mère et qui continuait de l'être par les souvenirs ?

Olivier n'en voyait pas l'utilité, n'en sentait pas l'envie. À ses yeux, c'était frôler l'indécence que de s'approprier la vie de celle qui ne pouvait plus défendre ses idées.

Par contre, il avait promis à son père qu'il s'y mettrait, et ce dernier avait sincèrement eu l'air de l'apprécier.

— On en reparlera après, mon grand ! avait promis Thomas, tout souriant, quand il l'avait quitté ce matin.

Indécis, vaguement mal à l'aise, Olivier fixa longuement la boîte défraîchie. Il savait que Mélanie et

Sébastien avaient tout lu ou presque, car son père le lui avait dit.

Alors, pourquoi pas lui?

Du bout des doigts, avec une infinie précaution, dans un geste empreint de retenue et teinté de respect, Olivier souleva enfin le couvercle.

Pêle-mêle, il trouva quelques vieux cahiers reliés d'une spirale de métal, un journal intime aux pages racornies, abandonné tout au fond de la boîte, comme jeté là par inadvertance avec quelques disquettes, de celles qu'on ne voyait plus guère, déposées par-dessus.

Dans une banale boîte à chaussures, reposait l'essentiel de la vie de Jeanne Lévesque, sa mère.

Et on lui demandait d'y plonger comme on attaque le dernier *best-seller* paru en librairie?

Ébranlé, troublé, Olivier exhala un profond soupir, écourté brusquement par une voix d'enfant qui l'appelait.

— Papa! Viendrais-tu fermer ma lumière? J'ai envie de dormir.

— J'arrive, Alexis!

Olivier se précipita hors de sa chambre, soulagé.

La boîte séjourna donc sur un coin de la commode durant toute la fin de semaine. «Faute de temps», se disait-il.

Puis le lundi matin arriva, enveloppé de brume sous un ciel anthracite, prometteur de neige. «Enfin», pensa Olivier en ouvrant les tentures avant de se précipiter pour éveiller les garçons. Ensuite, la routine bouscula ses envies de rêverie, apportant avec elle la perspective de quelques jours effrénés, coincés entre travail et enfants, devoirs et repas à préparer. Du lundi au vendredi, sans complètement oublier la boîte, Olivier ne fit donc aucun effort particulier pour y penser.

Ce fut au moment où il se préparait pour la nuit, justement le vendredi suivant, que son regard buta sur la boîte en attente. Il se répéta alors qu'il devrait s'y mettre, tel que promis à son père. Les enfants étaient maintenant chez leur mère pour toute la semaine, il n'avait donc plus aucune excuse pour reporter sa lecture. Il emporta la boîte à la cuisine où machinalement, il se tira une chaise pour s'installer à la table, une bière à la main.

Quand il avait des dossiers à travailler ou à relire, c'est toujours ici qu'Olivier s'installait.

D'un simple coup d'œil, il comprit qu'il devrait commencer par le journal intime.

Le temps d'une dernière hésitation pendant laquelle il feuilleta distraitement les pages, quelques instants de plus pour une longue gorgée de bière, les yeux mi-clos, et c'est avec énormément de réticence qu'Olivier ouvrit enfin le vieux journal à la première page.

Même si sa mère n'était qu'une enfant le jour où elle avait écrit les mots qu'il avait sous les yeux, Olivier reconnut immédiatement son écriture.

Son malaise n'en fut que plus grand.

Malgré cela, il s'obligea à lire. N'était-ce pas là l'engagement qu'il avait pris avec son père ?

Une page, deux, trois…

À l'exception de ce qui touchait au décès de sa mère, les écrits de Jeanne n'étaient que les confidences un peu frivoles d'une gamine sise entre l'enfance et l'adolescence. Grâce à cela, Olivier put s'accommoder de ce qu'il lisait.

Cheveux qui frisent, mathématiques qu'elle déteste, un père qu'elle juge trop sévère.

Que des propos un peu banals qui lui tirèrent quelques sourires à l'occasion.

Olivier lut sans s'arrêter jusqu'au jour où Jeanne parla d'un premier homme qui traversa sa vie.

— *Il s'appelle Michel.*

Puis d'un autre qui visita son lit.

« *Il s'appelle Pierre-Luc... J'aime faire l'amour.* »

D'un geste brusque, Olivier repoussa alors le cahier, le rouge lui montant aux joues.

De quel droit pouvait-il lire ce qui suivrait ? Jeanne était sa mère, pas une quelconque héroïne de roman, pas une inconnue. Il n'avait pas envie de suivre les méandres de sa vie amoureuse, pas envie d'entrer dans son intimité partagée avec un homme, quel qu'il fût.

Et cela incluait aussi son père. Lui, l'enfant, le fils, préférait garder ses distances. Des secrets, des habitudes et des amours de ses parents il conservait ce qu'il en avait vu au fil des années. Il préférait se rappeler uniquement ce que Jeanne et Thomas avaient bien voulu dévoiler au jour le jour. Le reste ne lui appartenait pas.

Du bout de l'index, Olivier souleva les autres cahiers restés dans la boîte.

Quand bien même un jour sa mère parlerait de lui dans ses confidences — et c'était inévitable, ce moment-là arriverait —, là non plus, Olivier ne voudrait pas lire. Il avait conservé de son enfance et de sa jeunesse les souvenirs qu'il avait bien voulu en garder. Ils étaient nombreux, joyeux, frustrants, émouvants ou tristes. Ils étaient beaux ou pas, selon les circonstances. Mais ces souvenirs-là étaient les siens et il y tenait. Ceux de sa mère, par contre, ne lui appartenaient pas et il n'y puiserait pas.

— Va falloir que papa le comprenne, murmura Olivier en replaçant délicatement le journal de Jeanne dans la boîte. Pour moi, la lecture s'arrête ici. J'aime bien imaginer les amours de mes parents enrobées de mystère. C'est comme ça et je ne changerai pas d'avis.

Olivier se releva pesamment, les deux mains appuyées sur la table. Il replaça le couvercle sur la boîte à chaussures et la mit bien en évidence contre la corbeille débordant de fruits. Il voulait être bien certain de ne pas l'oublier quand il partirait le lendemain midi.

Après les consultations, puisqu'il était de garde ce samedi à la clinique sans rendez-vous, il irait la reporter à son père.

C'est ce qu'il fit dès seize heures, quand le dernier patient quitta la clinique. La journée était grisâtre et les flocons se bousculaient dans l'air humide de décembre. Depuis lundi, le ciel ne cessait de déposer un duvet de neige sur la ville qui avait pris l'allure d'une station de ski.

Ce fut Simone qui ouvrit la porte. Elle fronça les sourcils dès qu'elle reconnut Olivier. Sous son bras, il portait la fameuse boîte dont Thomas avait dit qu'elle n'était qu'un ramassis de souvenirs qu'il voulait partager avec ses enfants. Malgré le ton sincère qu'avait affecté Thomas, Simone en doutait. Malgré tout, elle afficha son plaisir à voir Olivier.

— Olivier ! Quelle belle surprise, lança-t-elle toute souriante.

— Bonjour, Simone. Papa est là ?

— Malheureusement...

Simone tendit le cou pour regarder au bout de la rue.

— Il est parti faire quelques courses, expliqua-t-elle en ramenant les yeux sur Olivier. Tu veux entrer pour l'attendre ?

Le geste fut bref, à peine perceptible, mais Olivier porta tout de même les yeux sur la boîte, ce dont Simone s'aperçut. De toute évidence, le jeune homme était déçu de voir que son père était absent. Ou mal à l'aise de se retrouver devant elle.

— Je ne sais trop... Je suis un peu pressé...

« Tiens donc », pensa spontanément Simone, persuadée que la boîte était la cause de ce subit empressement. Question de vérifier, elle demanda, mine de rien :

— Tu voulais lui remettre cette boîte, n'est-ce pas ? Tu n'as qu'à me la laisser et je la donnerai à Thomas pour...

— Non, non... Merci quand même. Dis plutôt à mon père que je suis passé. S'il veut me rejoindre, je serai chez moi... À bientôt, Simone, et salue bien ton père pour moi.

Olivier avait déjà tourné les talons et se dirigeait vers son auto. Songeuse, Simone referma la porte et revint vers le salon.

— Si je ne m'abuse, c'était Olivier, n'est-ce pas ?

Gustave avait baissé le son de la télévision et l'oreille tendue, il avait épié les voix qui lui parvenaient depuis l'entrée.

— Effectivement, c'était Olivier.

— Je ne vois peut-être plus grand-chose, constata Gustave, tout guilleret, mais j'ai l'ouïe fine ! Ça compense un peu. Et ça me fait dire que toi, au timbre de ta voix, tu n'as pas l'air joyeuse... Qu'est-ce qui se passe ?

— Bof...

— Mais encore ?

— Toujours la fichue boîte que je continue de voir passer d'une main à l'autre, soupira Simone en se laissant tomber dans son fauteuil préféré. Ça a commencé avec Sébastien, l'autre samedi, alors que Thomas pensait que je ne l'avais pas vu. Puis, la semaine dernière, c'est Mélanie qui est venue la reporter et maintenant, c'est Olivier qui n'a pas voulu me la confier pour que je puisse la remettre à Thomas.

Gustave agita la main avec désinvolture en direction de sa fille, comme si la situation ne méritait pas qu'on s'y attarde.

— Pourquoi t'en faire ? Thomas te l'a dit l'autre soir au souper : il s'agit de vieux souvenirs de famille.

— Tu y crois, toi?

Le vieil homme haussa les épaules.

— Pourquoi pas?

— Peut-être bien, admit Simone avec une certaine réticence. Mais leurs souvenirs me semblent enveloppés de beaucoup de mystère.

— Serais-tu jalouse, par hasard?

L'hésitation de Simone fut réelle, bien que fort brève.

— Jalouse? rétorqua-t-elle rapidement. Non. Pourquoi est-ce que je serais jalouse? Même si elle est décédée, je sais très bien que Jeanne aura toujours priorité dans les sentiments de Thomas. Ça fait longtemps que je l'ai accepté. Par contre, je suis triste de voir que ce même Thomas ne me fait pas suffisamment confiance pour se confier à moi.

— Je ne comprends pas... Qu'aurait-il à te confier si on parle ici de souvenirs qu'il partage avec ses enfants?

— Je ne sais pas...

Simone poussa un profond soupir.

— N'empêche que j'ai l'impression qu'il s'éloigne de moi sans que j'en comprenne la raison... Je... J'ai vraiment l'impression, papa, que Thomas n'est pas heureux. Pourtant, il n'en parle pas. Pourquoi? Peut-être regrette-t-il sa décision de venir habiter ici et qu'il n'ose pas l'avouer.

— Peut-être, en effet.

— Alors, qu'il le dise clairement.

Il y avait une pointe d'impatience dans la réplique de Simone.

— Oui, qu'il soit clair dans ses intentions parce que

c'est moi qui risque de regretter d'avoir... Oh! Le voilà!

La lumière des phares de l'auto de Thomas avait brièvement éclairé le salon.

— On en reparlera, papa, parce que la situation, telle qu'elle se présente depuis ces derniers mois, ne peut pas durer indéfiniment.

Tout en parlant, à voix basse comme si elle avait peur d'être entendue, Simone s'était redressée sur son fauteuil. Dès qu'elle perçut le claquement de la porte qui se refermait, elle lança:

— Thomas! Nous sommes au salon!

Une tête échevelée et parsemée de flocons fondus parut aussitôt dans l'embrasure de la porte tandis que Simone poursuivait:

— Tu as raté Olivier de quelques minutes à peine, expliqua-t-elle un peu précipitamment. Il voulait te parler et te remettre la boîte de souvenirs. Il a dit qu'il s'en allait chez lui et que tu pouvais l'appeler.

Thomas ne vit pas la tristesse et l'inquiétude qui traversèrent le regard de Simone quand elle parla. Il n'entendit que l'espèce de nonchalance qu'elle tenta de donner à sa voix.

Alors, il ne prit pas la peine de retirer son manteau. Le temps de s'excuser, de déposer à même le plancher le sac de provisions qu'il avait à la main et Thomas repartait.

— J'ai trouvé tout ce que tu m'avais demandé, expliqua-t-il tout en refermant les pans de son manteau, mais ne m'attendez pas pour souper. Par contre, je ne devrais pas rentrer trop tard.

La porte claqua de nouveau, les phares illuminèrent une seconde fois le salon et le bruit du moteur se fondit rapidement dans la nuit.

— Et voilà...

Jamais constatation n'avait été teintée d'autant de fatalisme que ces deux mots échappés par Simone.

— Et ne viens surtout pas me dire que je m'en fais pour rien, ajouta-t-elle promptement, comme une mise en garde sévère à l'égard de son père qui avait l'indulgence un peu facile face à Thomas.

Simone était déjà debout. Attrapant le sac d'épicerie au passage, elle fila vers la cuisine, où Gustave l'entendit se moucher longuement.

— Je lui donne cinq minutes, murmura-t-il tristement, et je vais la rejoindre. Pauvre Simone! C'est un peu l'histoire de sa vie amoureuse qui se résume dans ces quelques larmes... Pourtant, Dieu sait qu'elle mériterait tellement mieux que cela.

Sans se douter du chagrin et de l'amertume semés derrière lui, Thomas filait tout droit chez Olivier. Pas de détour cette fois-ci, car il se sentait pressé d'arriver, curieux d'entendre ce que son fils avait à dire.

Devait-il dire enfin ou déjà?

C'est qu'Olivier avait lu en un temps record ce que lui avait pris des mois à inventorier. Surtout pour un homme occupé comme lui... Olivier avait-il trouvé sa lecture passionnante au point d'y passer ses nuits, un peu comme Mélanie?

Et que retenait-il des derniers propos de Jeanne?

Avait-il, tout comme Sébastien et Mélanie, accepté les dernières volontés de sa mère avec indulgence, avec simplicité ?

C'est ce qu'il saurait dans quelques instants probablement.

Comme lorsqu'il avait rencontré ses deux autres enfants, Thomas se présenta à la porte de son aîné avec appréhension. De l'attitude d'Olivier dépendrait une large part du reste de sa vie.

Que son fils accepte le rôle qu'il avait joué dans le décès de Jeanne, et Thomas se sentirait libéré. Il pourrait enfin achever son deuil en paix. Par contre, si Olivier se montrait réticent...

Le cœur battant la chamade, Thomas prenait une profonde inspiration à l'instant où Olivier ouvrit la porte.

— Papa !

De toute évidence, Olivier n'était pas surpris de voir son père devant chez lui.

— J'allais passer à la table, fit-il en s'effaçant derrière la porte qu'il tenait grand ouverte. On partage ?

Olivier n'avait l'air ni particulièrement épuisé ni ombrageux. Thomas y vit là une raison d'espérer.

— On partage !

Ils se firent toute une fête de la pizza congelée qu'Olivier avait mise au four. Ils parlèrent des enfants, du chat qui avait droit, lui aussi, à une garde partagée, et durant la longue demi-heure que dura le repas, ni l'un ni l'autre n'osa aborder le sujet du journal de Jeanne.

Pourtant, la boîte trônait sur un coin de la table, mais

c'était comme si personne ne la voyait.

Ce fut Olivier qui se décida le premier après avoir débarrassé la table et offert un café à son père.

— Va m'attendre au salon. Je te rejoins dans un instant et je vais en profiter pour te remettre ce que tu m'avais confié.

Nul besoin d'être plus précis. Thomas sentit un drôle de rebond dans sa poitrine.

— Tu as déjà fini de lire ? demanda-t-il d'une voix étranglée.

— Si on veut... Va, va au salon. Je te rejoins.

Olivier arriva quelques minutes plus tard, précédé d'une tôle à biscuits qui faisait office de cabaret. Deux cafés fumants furent déposés sur la table basse, et la boîte de Jeanne, comme Olivier s'était mis à l'appeler, les suivit dans l'instant. Thomas n'osait parler, attendant que son fils le fasse. Il tendit la main vers une tasse. Elle tremblait légèrement et Olivier s'en aperçut. Alors, il prit la sienne à deux mains et s'accota contre le dossier du fauteuil qu'il avait choisi. Il fixait le mur devant lui comme s'il cherchait ses mots ou comme s'il était particulièrement embarrassé. Quand il commença à parler, sa voix était assourdie par l'émotion, et Thomas dut tendre l'oreille pour ne rien perdre de ces mots si importants qu'Olivier était en train de lui livrer.

— Finalement, je n'ai pas lu grand-chose, avoua-t-il d'emblée... Je... Comment dire ?

Olivier inspira profondément.

— Voilà ! En réalité, je n'ai presque rien lu.

Thomas s'attendait à beaucoup de choses, mais pas à ça.

— Rien lu ? demanda-t-il, sa voix modulant une certaine surprise.

— On pourrait dire comme ça, oui. Quelques pages, tout au plus…

— Pourquoi ?

— Toutes ces confidences ne s'adressent pas à moi. Quand maman les a écrites, elle les confiait au papier, puis ensuite à l'ordinateur… Pensait-elle qu'un jour, toi ou nous, les enfants, nous allions lire tout ce qu'elle avait écrit ? Pas vraiment.

— C'est là que tu te trompes, Olivier.

Thomas s'emballait. Si ce n'était que ça, il allait convaincre Olivier de poursuivre. Il fallait qu'il aille jusqu'au bout pour apprendre ce qui s'était réellement passé en ce matin de septembre.

— Si tu avais poursuivi ta lecture, expliqua-t-il vivement, tu aurais vite compris qu'après avoir tout relu elle-même, Jeanne avait choisi en toute connaissance de cause de nous confier ses écrits.

— Si tu le dis…

Malgré cette révélation, Olivier ne semblait pas avoir changé d'avis. Il ne manifesta aucune curiosité, aucun enthousiasme. Le regard vrillé sur le mur devant lui, il continuait de tourner inlassablement sa tasse entre ses doigts.

— Pour moi, ça ne change rien au fait que je ne veux pas m'immiscer dans l'intimité de cette femme qui était ma mère.

Le ton employé était neutre, calme, mais sans réplique. Malgré tout, Thomas s'entêta.

— Et si j'insistais ?

Olivier tourna lentement la tête vers son père dont il soutint le regard durant un long moment.

— Ça ne servirait à rien, finit-il par articuler froidement, sinon peut-être à nous dresser l'un contre l'autre, ce que je ne veux absolument pas.

Thomas abdiqua en détournant les yeux. Que pouvait-il ajouter à cela, sinon que lui non plus ne voulait surtout pas se mettre un de ses enfants à dos ? Il était douloureusement conscient qu'il devrait expliquer lui-même de quelle manière Jeanne était morte. Il n'avait pas le choix maintenant que Sébastien et Mélanie savaient…

Le cœur de Thomas palpitait comme un oiseau sauvage brusquement prisonnier d'une cage. Comment tout dire sans blesser ? Comment avouer le rôle qu'il avait joué dans le décès de Jeanne ? Olivier comprendrait-il que ce geste en était un d'amour ? Un amour qui avait duré toute une vie, si léger et heureux.

Un amour qui, depuis trois ans, s'était mis à être trop lourd pour lui. À être un si lourd fardeau qu'il n'arrivait plus à le porter seul.

La vie de Jeanne s'était peut-être arrêtée en ce beau matin d'automne, alors qu'elle était emportée pour toujours sur la voix de Maria Callas, mais la sienne errait depuis le même instant, sans jamais trouver de repos. Avec ce grave secret enfoui au creux de ses pensées les plus intimes, même la présence de Simone n'arrivait pas à calmer son cœur en émoi.

Thomas n'en pouvait plus, il était épuisé.

Il échappa un long soupir.

Peut-être bien, finalement, que cette lassitude de vivre allait lui conseiller les mots à dire.

Et si Olivier ne comprenait pas, alors tant pis.

Thomas se redressa, déposa sa tasse sur la table, et du regard, il chercha celui de son fils aîné. C'est en le fixant droit dans les yeux qu'il allait lui apprendre la vérité. Autrement, il aurait l'impression de s'excuser et ce n'était pas du tout ce qu'il avait l'intention de faire.

— Alors, si tu ne veux pas lire ce que Jeanne nous a laissé, à moi comme à vous, je vais devoir te parler, commença-t-il prudemment.

Devant l'entêtement d'Olivier à ne rien dire, après un bref silence, Thomas ajouta :

— J'aurais préféré ne pas avoir à le faire, avoua-t-il dans une ultime tentative d'amener Olivier à modifier sa façon de voir les choses.

Mais cette fois encore, Olivier resta silencieux. Très calme et silencieux. Thomas reprit donc en répétant ce qu'il venait de dire.

— Oui, j'aurais préféré ne pas avoir à parler parce que les mots que je dois te dire, même après trois longues et difficiles années, me font encore terriblement mal. Je... Oh, Jeanne ! Aide-moi...

Une eau tremblante brillait au coin des paupières de

Thomas. Il toussota à quelques reprises avant de reprendre d'une voix étouffée.

— Il faut que tu saches qu'au matin de sa mort, ta mère…

— Au matin de sa mort, ma mère n'aurait pas dû mourir, interrompit alors Olivier. C'est ça que tu veux me dire, papa ?

Le temps posa une chape de plomb sur le salon, interrompant son cours pour un long moment, et un froid glacial, venu peut-être de ce vent d'hiver qu'on entendait siffler à la fenêtre, fit frissonner Thomas.

La gorge étranglée par l'émotion, il acquiesça d'un bref hochement de la tête, incapable d'articuler quoi que ce soit. De grosses larmes coulaient maintenant sans retenue le long de ses joues pour venir mourir dans sa barbe grise mal taillée.

Malgré le ton imperturbable qu'il avait employé, Olivier tremblait d'émotion. Incapable de poursuivre, il regarda cet homme qui était son père avec une sincère affection.

Puis il sentit tous les muscles de son corps se braquer, se durcir, parce que cet homme avait aussi aidé sa mère à mourir. Alors, l'émotion ressentie avait une saveur amère.

Aujourd'hui, il n'y avait plus aucun doute possible. Les regards et les gestes disaient clairement ce que les mots, trop prudes et malhabiles, n'avaient pas réussi à avouer.

Sa mère était morte comme elle avait toujours dit qu'elle le ferait, à sa façon, au moment où elle l'aurait choisi, et Thomas l'avait aidée à réaliser ce dernier souhait.

Olivier pouvait-il lui en vouloir pour ça?

Le médecin en lui avait envie de dire oui.

Oui, il en voulait à Thomas d'avoir abrégé la vie de sa mère, et d'une façon ou d'une autre, il allait devoir l'admettre devant son père. Olivier aimait les situations claires, sans la moindre ambiguïté. Si à son tour il ne voulait pas porter un certain fardeau de culpabilité, celui de n'avoir rien dit quand il était temps de le faire, il devait avoir l'honnêteté de parler sincèrement, là, maintenant, même si ce qu'il avait à dire n'était pas facile.

Le médecin devrait parler, avouer ce qu'il ressentait vraiment, car le fils, lui, n'oserait pas le faire.

Car le fils pouvait peut-être comprendre.

Peut-être...

Lentement, Olivier tendit la main par-dessus la petite table qui jouxtait les deux fauteuils, et celle de Thomas, tout aussi lente et hésitante, finit par la rejoindre. Leurs doigts s'emmêlèrent spontanément et se serrèrent avec force.

— Ainsi, tu savais?

La voix de Thomas n'était qu'un souffle rauque.

— N'oublie pas que je suis médecin.

— C'est vrai.

— À chaque visite, j'avais le réflexe d'être attentif à la respiration de maman. Je regardais la couleur de ses ongles pour m'assurer qu'elle n'avait pas besoin d'oxygène. Je voulais être bien certain qu'elle ne souffre pas trop. Je sais fort bien que Gilles est un excellent médecin, mais c'était plus fort que moi.

— Je peux comprendre.

— Comme moi, j'ai compris, au matin de son décès, que si ma mère était atteinte d'une maladie incurable, que si le compte à rebours était commencé pour elle, ce matin-là, elle n'était pas vraiment arrivée au bout de sa course. Ma mère était condamnée, oui, mais elle n'était pas encore en phase terminale.

Un fin silence fait de souvenirs douloureux enveloppa les deux hommes. Ce fut Thomas qui reprit le fil des confidences.

— Et tu n'as rien dit ? Ni ce matin-là ni après quand...

— Non, je n'ai rien dit, interrompit Olivier avec fermeté. C'était mieux comme ça. Si tu te souviens bien, quand je suis arrivé à la maison, j'avais les yeux secs. C'est parce que j'étais en colère, papa. Le médecin en moi était en colère... Je n'ai pas fait toutes ces études pour aider les gens à mourir.

— Ça, je peux très bien le comprendre. Mais...

— Laisse-moi finir. Si tu as quelque chose à ajouter, tu le feras après, d'accord ?

— D'accord.

— Au matin du décès de maman, le risque de prononcer des mots qui auraient dépassé ma pensée était grand. Sans toi ou sans Gilles, maman n'aurait jamais pu mettre un terme à ses douleurs, à moins d'utiliser une méthode brutale, ce qui ne lui aurait pas ressemblé... Voilà pourquoi je n'ai rien dit. C'est maman qui a toujours affirmé qu'on ne doit pas parler sous le coup de la colère, alors je l'ai écoutée. Mais ça grondait en dedans de moi comme tu ne pourras jamais l'imaginer...

— Les orages intérieurs, ça me connaît, interrompit Thomas d'une voix chargée d'une infinie lassitude.

Quelques mots seulement et Olivier venait de prendre conscience de l'étendue de la détresse où son père était plongé depuis ce matin-là.

— Je m'en doute...

Maintenant, c'est le fils qui parlait parce que le médecin n'avait plus sa place. Il avait dit ce qu'il avait à dire et le cœur pouvait maintenant s'imposer.

— Je ne sais pas si moi...

Olivier s'arrêta un instant tandis qu'il secouait vigoureusement la tête, en signe de déni.

— C'est ce que je voulais te dire, papa. En moi, il y a le médecin qui condamne le geste que tu as posé en aidant maman. Je ne pourrai jamais donner ma bénédiction à un geste comme celui-là malgré les intentions derrière. Mais en moi, il y a aussi un fils, celui de Jeanne qui trouvait intolérable de la voir souffrir ainsi. Alors, je veux aussi te dire merci de l'avoir aimée à ce point. Moi, je ne crois pas que j'en aurais été capable.

Et tandis qu'Olivier parlait, les larmes s'étaient mises à couler abondamment sur son visage.

Avec trois ans de retard, il pleurait enfin le décès de sa mère.

Chapitre 10

« Je t'aime, Thomas. Je n'aurai pas le temps de te le répéter aussi souvent que je le voudrais, alors je le mets partout où tu poseras les yeux un jour. »

Petite note laissée par Jeanne pour son mari afin qu'il la trouve quand elle ne serait plus là.

—Non mais, vraiment!

Au bout de la ligne, Sébastien s'impatientait.

— Ce n'est pas parce que l'idée ne vient pas de toi qu'elle est mauvaise!

— Je n'ai jamais prétendu ça. Tu as toute une opinion de moi, dis donc!

Le ton de Mélanie montait à son tour.

— C'est quoi, alors? répliqua Sébastien, agressif.

— Tu oses le demander? C'est gros, ce que tu suggères. C'est même immense!

— Quand même, Mélanie! Ce n'est pas si terrible qu'on pourrait le croire à première vue. Avoue au moins que ce que je propose, que ce que nous proposons, grand-père et moi, est plein de bon sens pour papa.

— Ouais... Si on veut.

— Tu es vraiment de mauvaise foi, toi, quand tu t'y mets! Même Olivier démontre plus d'enthousiasme que toi... Je ne te demande pas une réponse tout de suite, je veux juste que tu y réfléchisses. Grand-père est même prêt à faire le voyage jusqu'à Montréal pour qu'on puisse en discuter.

— D'accord, d'accord!

Sébastien entendit une longue expiration d'impatience à l'autre bout de la ligne.

— Disons que je vous invite à souper samedi prochain, offrit enfin Mélanie sur un ton plus conciliant. Est-ce que ça irait?

— Super! Compte sur nous. De mon côté, j'appelle Olivier tout de suite pour être bien certain de l'avoir avec nous. Je te rappelle pour confirmer.

Satisfait de la tournure finale de la conversation, Sébastien raccrocha sur ces mots.

— Bon! murmura-t-il en soupirant de soulagement, enfin un peu de bon sens. Maintenant, Olivier... J'espère qu'il va être disponible.

Quand Sébastien rejoignit finalement son grand-père au salon, tout était réglé.

— On monte à Montréal samedi prochain!

— À Montréal? Ah oui?

Le vieil homme poussa un soupir de découragement.

— Quelle drôle d'idée j'ai eue là, moi!

De toute évidence, Armand aurait préféré que la rencontre se déroule sous son toit, et Sébastien s'en rendit vite compte.

— Aurais-tu changé d'avis?

— Pas du tout, fiston, pas du tout... Qu'est-ce que tu

vas imaginer là ? Je vais tout simplement me préparer en conséquence. Il reste quand même quatre journées devant moi pour me faire à l'idée d'entreprendre un si long trajet. C'est que je n'ai plus vingt ans, vois-tu. Ni même soixante !

— Et alors ? Tu ne te souviens pas, l'été dernier, quand tu as fait le tour de l'île d'Orléans avec papa ? Au retour, tu claironnais à qui voulait bien l'entendre que tu venais de passer un après-midi formidable, un après-midi comme ça faisait longtemps que ça ne t'était pas arrivé.

— Je sais, admit Armand sans hésiter. Et je suis prêt à le répéter parce que c'est toujours aussi vrai... Tu as raison, je ne suis qu'un vieux grognon. Se rendre à Montréal prend à peine plus de deux heures.

— Effectivement ! C'est moins long, en fait, que tout un après-midi à vagabonder sur la route autour de l'Île.

— Tu as raison. Promis, je ne rouspéterai plus... Maintenant, va chercher les papiers que tu as imprimés l'autre jour ! Je m'amuse comme un gamin à les examiner. J'espère qu'Olivier et Mélanie vont pencher dans le même sens que nous !

L'idée était venue à Armand à la suite de la visite de Thomas durant les fêtes de fin d'année.

Même si son gendre avait nettement meilleure mine qu'à l'été, le secret entourant la mort de Jeanne n'étant plus un aussi lourd fardeau pour lui, il n'en restait pas moins que l'enthousiasme habituel, affiché spontanément quand tout allait bien dans sa vie, tardait à se manifester. Quelques longues conversations à deux avaient permis à Armand de mettre le doigt sur le problème.

— Ton père a besoin d'une maison bien à lui, avait-il affirmé à l'intention de Sébastien quand ils s'étaient retrouvés seuls tous les deux.

— Une maison ?

Sébastien avait déjà eu une discussion sur le sujet avec son père. Il savait que ce dernier avait regretté son geste, que les vieux meubles et la serre, l'atmosphère et les souvenirs rattachés aux lieux lui manquaient. Par contre, Sébastien était sincèrement convaincu que depuis quelque temps, ce regret lui était passé.

— Oui, oui, tu as bien entendu, une maison !

— Mais il vient tout juste de donner la sienne à Mélanie.

— Justement ! Sans le dire ouvertement, ton père m'a laissé entendre qu'il aurait besoin d'un petit coin bien à lui, d'un peu de solitude, parfois, pour ressasser en toute intimité certains souvenirs qui lui sont chers. Avec Simone et son père Gustave, c'est impossible. Je n'extrapole pas, je n'invente rien, c'est lui qui me l'a déclaré. Remarque qu'avec ta mère, c'était tout aussi difficile de se retrouver seul ! Cela est dit sans malice aucune, comprends-moi bien. Thomas a choisi deux femmes qui se ressemblent à de nombreux égards et s'il ressent le besoin d'un peu de recul face à tout cela, d'un peu d'espace pour respirer librement, ma foi, je ne pourrais guère lui en vouloir. Moi aussi, je l'avoue, par moments, je trouvais ma Jeanne un brin envahissante !

— Eh bien! Je ne me serais jamais douté qu'il regrettait encore d'avoir donné sa maison à Mélanie et...

— Pas du tout! avait coupé Armand avec véhémence en frappant le plancher à petits coups secs avec le bout de sa canne. Ça, fiston, c'est du passé. Depuis que vous avez lu le journal de votre mère, il n'y a plus de regrets dans ce sens-là, crois-moi. Non, ici, je parle d'envie, de besoin, pas de regrets. C'est complètement différent.

— C'est vrai que vu sous cet angle...

Dans l'heure qui avait suivi, Armand et Sébastien s'étaient installés à la cuisine, devant l'ordinateur portable du jeune homme, afin de rechercher sur Internet de petites maisons ou des chalets à vendre dans la région des Cantons-de-l'Est.

— C'est toujours vers là que papa se dirige quand il a envie d'un peu de campagne, avait précisé joyeusement Sébastien, contaminé par l'enthousiasme de son grand-père.

Ils avaient passé de nombreuses semaines à vérifier les demeures à vendre jusqu'au jour où ils étaient tombés sur la perle rare.

— Wow! C'est en plein ce qu'il nous faut. Regarde, grand-père, s'était écrié Sébastien, toujours aussi emballé par l'idée.

Quand le jeune homme avait remarqué le prix, cependant, ce bel élan n'avait pas duré. Le temps d'une courte réflexion, sourcils froncés, et il avait demandé:

— Mais dis-moi, grand-père, comment papa va-t-il réussir à se payer une autre maison? Après tout, il a donné la sienne à Mélanie. Il n'a donc fait aucun profit. Il doit sûrement être moins riche qu'avant, non ?

— C'est là qu'on va intervenir, jeune homme. J'estime que ton père vaut bien un petit effort de notre part à tous.

Et Armand d'expliquer ce qu'il avait en tête, explications que Sébastien, les ayant acceptées d'emblée, avait reprises à l'intention de son frère Olivier qui n'y avait vu que du bon, tandis que Mélanie semblait un peu moins apprécier.

Le moins qu'on puisse dire, c'est qu'elle avait reçu la nouvelle avec un scepticisme certain.

— Ne t'inquiète pas pour ta sœur ! Elle a une tête sur les épaules et le cœur à la bonne place. Ça va se tasser, tout ça.

En bref, Armand proposait d'acheter un chalet dans les Cantons-de-l'Est pour l'offrir à Thomas.

— Il en fera bien ce qu'il voudra ! S'y installer à plein temps, y aller en solitaire à l'occasion ou y construire un petit nid à leur image, Simone et lui, ça ne nous regarde pas. En autant qu'il ait quelque chose à lui, je crois que ça va suffire. Je fournis la mise de fonds, une solide mise de fonds, et vous voyez au reste, vous, les enfants. Quelques centaines de dollars par mois ne devraient pas peser trop lourd dans vos budgets. Après tout, toi, tu n'as rien à payer ici, Mélanie n'a pas de loyer à verser, elle non plus, et Olivier, même si ses charges sont plus lourdes, est tout de même médecin. À vous de voir comment répartir les mensualités entre vous. Moi, je ne m'en mêlerai pas.

Tel était le projet d'Armand.

Se fiant à la photo, Sébastien et lui avaient jeté leur dévolu sur une petite maison de campagne au toit pentu et aux murs couleur de pêche bien mûre. Agrémentée de volets crème, cette maison avait tout pour plaire. Si Mélanie et Olivier donnaient leur aval, ils iraient tous ensemble la visiter dimanche en matinée, puisqu'elle était sans occupants depuis quelques mois. Le rendez-vous était déjà pris.

La route de Québec à Montréal se fit sous un beau soleil printanier, ce qui fit dire à Armand qu'il n'avait été qu'un vieux bourru de croire que le voyage serait difficile et que désormais, il irait plus souvent visiter les siens à Montréal.

— Ça fait des années que je dis que je suis trop vieux pour un tel voyage… Sottise! Par ma faute, je perds de belles occasions pour me changer les idées et pour m'amuser. Tant pis pour la fatigue. Je n'ai que ça à faire, me reposer! On y verra donc à notre retour.

La discussion, autour de la table de Mélanie, fut animée. Cependant, elle fut aussi fort constructive, et le dimanche matin, les enfants de Thomas et leur grand-père partaient tous ensemble pour les Cantons-de-l'Est, les trois voitures se suivant en caravane.

Chacun d'entre eux tomba sous le charme de la jolie demeure. Assez grande mais pas trop, avec un immense champ qui s'étirait à perte de vue tout autour d'elle.

— Et bientôt, quand la neige sera complètement fondue, vous allez découvrir un petit ruisseau qui chante sous les arbres que vous voyez là-bas. Une vraie merveille.

Mélanie, elle, y voyait déjà les pique-niques qu'on pourrait y organiser.

Le courtier fut d'une gentillesse mielleuse et son sourire le fut lui aussi quand on parla d'une offre d'achat. Les documents furent signés la journée même.

— Voilà une bonne chose de faite, s'exclama Armand en prenant congé de Mélanie et Olivier. Ne reste plus qu'à prévenir Thomas pour que son nom et sa signature apparaissent sur le contrat notarié; après tout, cette maison sera la sienne. Pour la banque, je m'en occupe : ils ne peuvent rien me refuser !

Il fut décidé que l'annonce à Thomas se ferait chez Armand le dimanche suivant.

— On prétextera une partie de sucres ! Début avril, la chose est tout à fait plausible ! On vous attend donc pour un brunch.

Quand Armand Lévesque prenait les choses en mains, rien ni personne ne pouvait résister à sa volonté.

Ce fut donc sous un soleil qui se permettait certaines hardiesses que la famille se retrouva réunie chez Armand et Sébastien le dimanche suivant.

— On devrait faire ça plus souvent, remarqua Thomas en entrant. Votre maison se prête à merveille à une réunion de famille. Chez Simone, nous sommes malheureusement un peu à l'étroit et on ne peut demander aux enfants de voir à répétition aux invitations.

Puis, le nez en l'air, il ajouta :

— Ça sent rudement bon ici ! Qu'est-ce qu'on mange ?

— Un repas de cabane à sucre, Thomas! lança précipitamment Armand, heureux de voir que la conversation bifurquait d'elle-même avec autant de facilité.

Il aurait été embêté de discuter maison à ce moment-là.

— Oui, on va avoir droit à un vrai de vrai repas traditionnel, élabora-t-il joyeusement. Avec soupe aux pois, fèves au lard et tout le tralala! Tes deux fils y travaillent depuis hier!

— Mes deux fils? À la cuisine? Il faut que je voie ça!

Le repas fut joyeux. Sébastien avait déblayé la terrasse et installé une table de fortune. Durant la semaine, à temps perdu, Maxime avait bricolé une sorte d'auge où il s'affairait à entasser de la neige propre pour y étendre la tire à la fin du repas, tandis que Mélanie s'occupait de faire bouillir le sirop.

Mais avant...

Il avait été décidé que ce serait Armand qui prendrait la parole entre le repas et le moment de déguster la tire. Pour attirer l'attention des convives, avec sa cuillère, il frappa quelques petits coups secs sur sa tasse de café.

— On se croirait à une noce, rigola-t-il quand les regards se tournèrent en bloc vers lui.

Il faisait mine de s'amuser, pourtant, il était ému.

Tous ceux qui appartenaient à sa famille, de près ou de loin, étaient là, rassemblés devant lui. Bien sûr, sa Béatrice et sa Jeanne lui manqueraient toujours, mais comme il n'y pouvait rien changer, il apprécia de promener son regard de l'un à l'autre des convives, de sourire à chacun d'entre eux. Il y avait une petite électricité dans l'air qui s'accommodait à merveille de la brise un tantinet piquante qui soulevait mollement la nappe.

Armand fit en sorte que son regard termine sa course sur Thomas. Comme il l'aurait fait pour un toast, il leva sa tasse vers lui, le saluant d'un bref hochement de la tête. Surpris, Thomas lui rendit la pareille au moment où le vieil homme prenait enfin la parole.

— Cher Thomas.

Interloqué, ce dernier jeta quelques regards autour de lui. Comme il ne croisa que des sourires, il fronça les sourcils. Que se passait-il ici ? Spontanément, sa main chercha celle de Simone qui, à ce geste, sentit son cœur battre d'aise. Thomas n'avait jamais été friand de ces moments où il se retrouvait le point de mire de toute une assemblée, elle le savait. De sentir qu'il cherchait un certain réconfort auprès d'elle fut comme un grand éclat de chaleur.

— Thomas, répéta alors Armand. Toute ma vie, j'ai écrit des discours pour les autres. Des ambassadeurs, des ministres, des présidents de compagnie, des conseillers financiers, que sais-je, et j'ose croire que je savais y faire puisque je n'ai jamais manqué de travail. Mais rien ne m'a jamais paru plus difficile que de parler de soi ou au nom de ceux qu'on aime… Voilà… Vous excuserez donc la lourdeur de certains propos, je suis bien malhabile quand vient le temps d'exprimer les émotions, et, que voulez-vous, je suis d'une autre époque, je m'égare parfois dans une prose un peu longue.

Ménageant une pause dans son discours, du regard,

Armand refit le tour de l'assemblée. Il esquissa un sourire quand il arriva devant les enfants, tous rangés par ordre de grandeur, qui attendaient bien sagement à côté de l'auge, chacun une cuillère en bois à la main. On les avait prévenus que, dès que grand-père Armand aurait fini de parler, ils auraient droit à la tire.

— Je crois qu'il y en a parmi nous qui ont encore un petit creux, fit-il en les pointant du doigt. Heureuse enfance! Je vais donc faire un peu plus vite... Voilà... Ici, tout autour de nous, il y a ma famille, notre famille, Thomas. Toute notre famille, précisa-t-il en revenant à son gendre. Jeanne n'est plus, c'est vrai, mais l'essence de Jeanne continue de circuler autour de nous, à travers nous, et c'est bien, c'est normal qu'il en soit ainsi. Jeanne continue aussi d'être parmi nous à travers votre présence, Simone, ajouta-t-il en tournant légèrement la tête vers celle qui se mit aussitôt à rougir. Vous avez repris le flambeau de merveilleuse façon et je sais que tous, sans exception, ont appris à vous apprécier, pour ne pas dire à vous aimer. Tout comme vous, Gustave, bien entendu. Vous êtes des nôtres, tous les deux... Maintenant que cela est dit, venons-en à l'essentiel de cette rencontre... Thomas... À ton égard, il n'y a qu'un mot qui me vient spontanément aux lèvres et c'est merci. Merci d'être l'homme intègre et droit que tu es. Merci d'être le gendre attentionné que j'ai eu le privilège de côtoyer tout au long de ma vie. Merci d'être le père attentif que tu continues d'être malgré les difficultés, les déceptions et les revers de l'existence. Merci enfin d'avoir été un mari aimant et prévenant à l'égard de ma fille, et ce, jusqu'aux tout derniers instants.

En prononçant ces derniers mots, Armand regarda Thomas intensément, droit dans les yeux. Sans rien éventer du secret, il venait de tout dire, et Thomas le comprit sans la moindre équivoque. Ses doigts se cramponnèrent à ceux de Simone.

— En fait, reprit le vieil homme quand l'émotion se fut légèrement dissipée, tu n'as qu'un seul défaut : tu es trop généreux, pour ne pas dire prodigue... Tu donnes tout ! Alors, on n'a pas eu le choix... Sébastien, va chercher l'enveloppe, s'il te plaît !

Le jeune homme se précipita vers la maison pour en revenir aussitôt avec une grande enveloppe de papier kraft qu'il tendit à son père.

— C'est pour toi, Thomas, expliqua Armand. Tu excuseras qu'on ait choisi nous-mêmes, c'est tout simplement qu'on voulait te faire la surprise. Si jamais ça ne convenait pas, il nous reste encore quelques jours pour modifier ou annuler l'entente. Et on trouvera autre chose, bien entendu.

Les doigts tremblants, Thomas décacheta l'enveloppe. Il dut s'y reprendre à deux reprises pour en sortir tous les papiers.

— Mais qu'est-ce que...

Sur la table, devant lui, s'étalaient maintenant une photo en couleurs de belles dimensions, une offre d'achat et une contre-offre paraphée et officialisée par trois signatures.

À la fois curieux et intrigué, Thomas leva les yeux vers son beau-père.

— Je ne comprends pas. Pourquoi cette photo?

Armand adressa un sourire malicieux et satisfait à chacun des trois enfants puis il revint à Thomas.

— Cette maison est à toi, Thomas. En autant que tu l'aimes, bien entendu, et que tu acceptes d'en devenir le propriétaire.

— Mais ça n'a aucun sens!

La réponse de Thomas avait fusé sans la moindre hésitation.

— Je n'ai pas les moyens de m'offrir...

— Ça, vois-tu, on s'en doutait, trancha Armand. C'est pourquoi, si tu la veux, cette maison est à toi. Les enfants et moi, on s'occupe de tout. Nous avons pensé que ce serait un merveilleux endroit pour tenir nos réunions de famille! Il y a de l'espace, du bon air et même un ruisseau, paraîtrait-il. Et c'est à peu près à mi-chemin entre Montréal et Québec. Alors, qu'est-ce que tu en dis?

— C'est trop...

Thomas parlait avec difficulté, la gorge nouée par un maelström d'émotions de toutes sortes.

— C'est beaucoup trop, répéta-t-il, à court de mots. Les enfants ont leurs familles, leurs obligations et...

— Et ils ont aussi un père à qui ils veulent dire merci. De toute façon, comme je l'ai appris à ma fille quand elle était jeune et comme elle a dû vous le répéter elle-même: un cadeau, jeune homme, ça ne se refuse pas. Pour l'instant, la maison est vide. Depuis quelques années, les propriétaires la mettaient en location à la saison. Alors, Thomas, qu'est-ce que tu en dis? Est-ce que tu l'aimes, notre petite maison?

— Elle est superbe, ça, c'est sûr.

Thomas tenait la photo d'une main tremblante. D'une certaine façon, elle ressemblait à celle qu'il y avait sur le tableau offert par Armand. Alors, elle lui fit aussitôt penser à Jeanne.

— Alors, on peut dire marché conclu? demanda Armand, impatient de pouvoir enfin se réjouir ouvertement.

Thomas ne répondit pas tout de suite même si l'envie d'accepter était grande. Il prit une profonde inspiration et l'air coula tout léger jusqu'au fond de ses poumons. Il avait brusquement l'impression que les trois dernières années de sa vie passaient en coup de vent au-dessus de lui, s'éloignant à tire-d'aile, emportées par Jeanne elle-même.

Autant d'amour autour de lui, pour lui, ne pouvait venir que de sa Jeanne. Thomas se retint pour ne pas lever les yeux au ciel et il revint plutôt à la photo.

La maison était vraiment jolie, attirante, comme porteuse d'espoir.

Avoir un coin à lui, une maison où il pourrait se réfugier au besoin, mais où, aussi, il pourrait fabriquer des souvenirs avec Simone. N'était-ce pas là ce dont il rêvait?

Thomas leva alors la tête et posa les yeux sur Sébastien qui le regardait tout souriant, juste à côté de son grand-père dont il soutenait le bras avec sollicitude. À travers son fils, c'est l'empathie de Jeanne qu'il retrouvait. Puis son regard glissa vers Mélanie qui lui fit un petit clin d'œil de connivence auquel il répondit avec tendresse. Ce regard était celui de Jeanne. Maxime lui entourait la taille d'un bras possessif tandis qu'il gardait un œil vigilant sur leurs enfants. Thomas s'arrêta enfin sur Olivier qui le dévisageait intensément. Le poids de la solitude se lisait sur son visage aux traits tirés, et Thomas se surprit à espérer qu'à son tour, il puisse rencontrer une Simone. Quand son regard croisa celui de son fils, ce dernier esquissa un sourire avant de hocher lentement la tête, comme Jeanne l'aurait sûrement fait, discrète et insistante à la fois, lui demandant ainsi d'accepter. Ce fut à ce moment que Thomas rendit les armes face à eux.

Pourquoi chercher ailleurs ? L'amour et la générosité de Jeanne lui étaient redonnés à travers ses enfants et leur noblesse de cœur.

Et comme si cela ne suffisait pas, à ses côtés, il y avait une femme qui avait tout accepté de ses hésitations, de ses regrets, de ses tristesses.

Il y avait une femme qui l'aimait tel qu'il était, comme Jeanne l'avait aimé auparavant.

Pour une première fois depuis le décès de Jeanne, Thomas se considéra comme un homme comblé.

Dégageant alors sa main, il passa son bras autour des épaules de Simone, dans un geste tout aussi possessif que celui de Maxime.

— Qu'est-ce que tu en penses ? demanda-t-il à mi-voix, montrant la maison du bout de l'index.

— Ce n'est pas à moi de le dire, Thomas, c'est à toi.

— Mais encore... Tu vas y venir toi aussi, non ?

— Je... Je l'espère, oui.

Simone avait levé les yeux vers Thomas. Elle posait sur lui un regard rempli de tant d'espoir qu'il en resserra son étreinte.

— Comment ça, tu espères ? fit-il, faussement choqué. C'est sûr que tu vas venir avec moi quand tu auras le temps, et même quand tu n'en auras pas ! Et ton père aussi. Alors, qu'est-ce que tu en penses ?

— Elle est magnifique, pas de doute là-dessus. On dirait qu'elle sort tout droit d'un conte pour enfants. C'est fou ce que je vais dire là, mais j'ai l'impression qu'elle t'attend.

Simone devait avoir deviné depuis longtemps, car elle venait de prononcer exactement les mots qu'il fallait pour convaincre Thomas.

Ce fut suffisant.

— Alors, c'est oui, annonça-t-il en s'adressant à son beau-père d'une voix qui se voulait claire malgré les trémolos qu'elle laissait entendre. Je n'aurai probablement jamais assez de mots pour vous remercier, mais tant pis. Comme vient de le dire Simone, j'ai l'impression que cette maison-là n'attend que nous pour se remettre à la vie, et c'est ce qu'on va faire, tous ensemble.

Thomas jeta un long regard circulaire qui s'arrêta sur ses petits-enfants qui, gênés, attendaient toujours silencieusement.

— Oui, répéta Thomas, ému, on va se remettre à la vie.

Puis, affichant un franc sourire à l'intention de ses petits-enfants, il lança joyeusement :

— Et maintenant, qu'est-ce que vous diriez de manger un peu de tire ?

— Oh oui ! Ça va être bon.

Tous les regards convergèrent instantanément vers la petite Marie-Jeanne qui, bien qu'un peu intimidée, leur offrit un sourire gourmand, un sourire heureux qui ressemblait étrangement à celui de sa grand-maman Jeanne.

FIN

RECYCLÉ
Papier fait à partir de matériaux recyclés

FSC
www.fsc.org

FSC® C103567

Marquis imprimeur inc.

Québec, Canada

2012

Imprimé sur du papier Silva Enviro 100% postconsommation traité sans chlore, accrédité ÉcoLogo et fait à partir de biogaz.